JN102282

「浦島太郎」のアバターになって、メタバース・Web3・AIがスラスラわかる本

めんたいバース企画　代表

谷口 良太 著
Ryota Taniguchi

彩流社

まえがき

もう「メタバース、Web3、AI音痴」では、ビジネス敗者になる！

　突然ですが、メタバース と Web3（ウェブスリー）の違いが分かりますか？

　2021年米国時間の10月28日、Facebook（フェイスブック）は社名を「Meta（メタ）」に変更しました。「メタバース」事業に注力するため、事業のすべてを表す社名にしたとのことです。これが、メタバースが一気にブームとなったきっかけです。

　ルイ・ヴィトン、ナイキ等の大手ブランドメーカーをはじめ、日本でもNTTドコモ、三菱UFJ等の企業がこの分野に参入し話題となりました。

　2022年9月の日経BP調査では、メタバースが「何らかの形で自社のビジネスや業務に影響を与える」と考える企業は440社のうち73％で、その注目度が伺えます。

　現在、自治体、婚活、不動産、アパレル、音楽、金融、人材業、自動車、医療、教育、飲食等様々な分野に広がっています。

　2023年3月7日、KDDIは、メタバース・ライブ・デジタルアートなどで、誰もがクリエイターになりうる世界に向けたメタバース・Web3サービス「アルファユー」を始動しました。

　また、テレビでも22年秋から、『新世界 メタバース TV!!』（テレビ朝日）が始まりました。

　そうです。メタバース活用時代がやってきました！　生活者もメタバースをどう楽しめるのかに注目し始めています。

　もう「メタバース、Web3、AI音痴」では、ビジネス敗者になると言っても過言ではありません！

　そして、AIの分野では、「ChatGPT（チャットジーピーティ）」に代表される「生成AI」が最近話題です。ChatGPTとは、アメリカのOpenAIが2022年11月に公開したAIチャットボットで、ユーザーの入力した質問に対してAIが回答を提供するものです。

　2023年3月には、GPT-3(3.5)からGPT-4にバージョンアップされ、アメリカの司法試験の受験者の上位10%の成績に入るほどの高度な推理機能を有しています。

　文章作成や要約、文章のチェック、アイデア創出等にも活用できることから、現在、官公庁、教育、金融、メーカー、情報通信業界等、幅広い分野で活用が始まっています。

　ただ、時代についていきたい、新しいことをやりたい、ビジ

ネスへどう活用したらいいのか、YouTube やネットを見ても、いまいち分からない。AI ってそもそも何だろう？

そんな方も多いと思います。

でも安心してください‼

本書は、高校生の主人公、鈴木太郎がメタバースの世界に入り、浦島太郎のアバターになって、メタバース、Web3、AI の全体像を学んでいく物語です。太郎と一緒に、読者も理解できるように書かれています。

本書を読み終えた頃には、すっかりメタバース、Web3、AI の全体像を理解して、新しいことにチャレンジする意欲に満ち溢れていることでしょう。

それでは、あなたをメタバース & Web3 の世界にご案内いたしましょう！

2023 年 7 月吉日

谷口 良太
たにぐち　りょうた

※本書は、2023 年 7 月時点での情報をもとに作成しています。本文の内容に関しては、イメージしやすいように簡略化して説明しています。あらかじめご了承ください。

「浦島太郎」のアバターになって、
メタバース・Web3・AI がスラスラわかる本

もくじ

ステージ 4
乙姫様と出会う
スマートコントラクト、DEX、DeFi とは何かを学ぶ

ステージ 5
乙姫様と結婚
DAO、SBT を学び、Web3 の全体像を確認する

ステージ6
カメとの別れ、そして現実世界へ
メタバース、Web3、AI の未来について学ぶ

エピローグ 現実世界の「乙姫様」との再会・結婚

◎企画・編集協力：遠藤励起
◎カバー・本文イラスト：日和　絹

〔本書の取扱説明書〕

　メタバースと Web3 の違いをご存知ですか？

　XR（クロスリアリティ）って聞いたことはありますか？

　そして、最近よく聞く NFT（エヌエフティ）、DAO（ダオ）、DeFi（ディーファイ）、ブロックチェーンの関係性を説明できますか？

　AI は、ChatGPT のことだと思っていませんか？

　この本を手に取られている方は、もしかしたら、YouTube 等を見て単体での知識はあるかもしれませんが、その全体像や関係性まで答えられる方は少ないと思います。

　ただ、メタバース、Web3、XR は、繋がっていて関連しています。

　そして、まだまだ事例は少ないですが、AI と Web3 は相互に影響しながら発展していくと予想されます。

　本書のゴール（目的）は３つ。

「メタバース、Web3、XR の全体像とその内容（図１〜６）を理解すること」です。

　これが理解できれば、メタバース、Web3 を理解して活用することができます。

　さらに本書では、AI の活用についても考えることができるように、ステージ６で AI の特集を組んでいます。

　これらを理解することで、**その他大勢の人に大きく知識で差をつけることができます。**

　それでは順にご説明します。

●「メタバース、Web3、XR」の関係性とは

・「Web3」が社会システム（文明）＝法律、企業、通貨等＜「メタバース」が仮想空間（地球）。

・「メタバースなどの仮想空間」と「現実世界」を繋ぐために、「XR（装置〈デバイス〉）」が必要になる。

・図1のメタバース、Web3、XRの3つの円は、将来的には重なるかもしれないが、現在のところ、重なるところもあれば重ならないところもある。

たとえば、「フォートナイト」※など、PCでアクセスできるメタバースもある。

※フォートナイトとは、米 Epic Games が 2017 年にリリースしたオンラインのバトルロイヤル（生き残り）ゲーム。ボイスチャット機能を使い、フレンドと会話しながら遊ぶことが可能。

【図1：メタバース、Web3、XR の全体像】

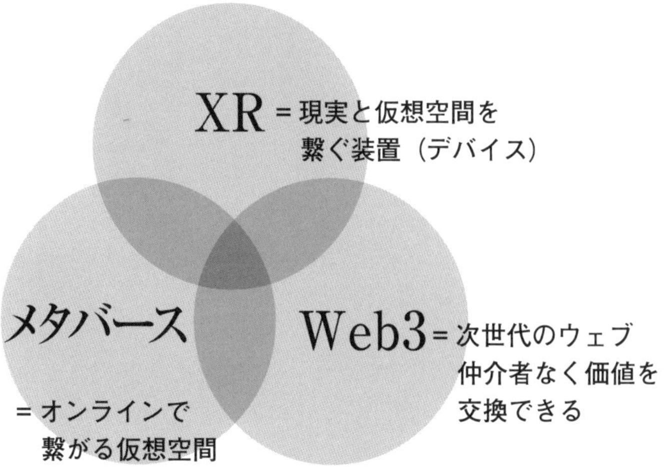

XR ＝現実と仮想空間を繋ぐ装置（デバイス）

メタバース ＝オンラインで繋がる仮想空間

Web3 ＝次世代のウェブ 仲介者なく価値を交換できる

正式名称	意味	特徴
メタバース	仮想空間	オンラインで繋がる相互コミュニケーションの場
Web3	次世代のウェブ	仲介者なくユーザー間で価値を交換できる
XR	装置（デバイス）	仮想空間と現実世界との接点（VRゴーグル等）

●メタバースの活用例

　VR会議、ゲームでの利用、バーチャルライブ、仮想オフィス（バーチャルオフィス）、メタバースEC事業等。

【図2: メタバース、アバターとは】

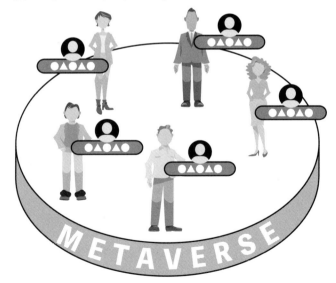

「メタバース」とは、オンラインで繋がる「**仮想空間**」のことです。メタバースでは、ユーザー同士が交流できるようになっていますが、その際に、「**アバター**」と呼ばれる**ユーザーの分身**を利用して様々な活動を行うことができます。

　また、メタバースは大きく次の２つの世界に分けることができます。

　　オープンメタバース　　　　▶異なるメタバースの世界を自由に行き来できる

　　クローズドメタバース　　　▶独自のメタバースでメタバース間を行き来できない☜現在はこれ

「XR」とは、仮想空間に没入する **VR（ブイアール）**や、一世を風靡したポケモンGOのようにスマホの画面上で現実世界に仮想情報を表示させる **AR（エーアール）**、ARの進化版で、たとえば医療現場で患者のデータを空間に表示させ操作することもできる **MR（エムアール）**等の関連技術の総称です。

　体験するためには、それぞれゴーグル（VR）、スマホ（AR）、ヘッドセット（MR）等の装置（デバイス）が必要となります。

XR（クロスリアリティ）　　▶ AR、MR、VR等の関連技術の総称

VR（ブイアール/仮想現実）　▶ 仮想空間に入る

AR（エーアール/拡張現実）　▶ 現実に仮想情報を表示

MR（エムアール/複合現実）　▶ 現実に仮想情報を表示させるだけでなく操作可能。ARの進化版

【図3：XRとは、VR、AR、MR等の総称】

XR		
VR	AR	MR
仮想現実	拡張現実	複合現実
ゴーグルなどを装着し、仮想空間を表示（没入）	スマホなどの画面上、または専用グラスなどを装着し、現実に仮想情報を表示	ヘッドセットなどを装着し、現実に仮想情報を表示させるだけでなく操作可能
（例）バーチャル空間での職業トレーニング	（例）実際の部屋に家具を表示するシミュレーションに利用	（例）医療現場で、患者のデータを空間に表示

【図4：Web1.0、Web2.0、Web3.0の違い】

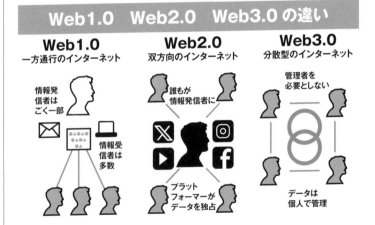

「Web3（Web3.0）」とは次世代のウェブで、「分散型ウェブ」とも言われています。最大の特徴は、今までは銀行や証券会社、不動産会社等の仲介者（管理者）が必要だったところ、Web3

では仲介者（管理者）なく、ユーザー間での価値を交換することが可能です。

　ブロックチェーン、DAO、NFT、DeFi もすべて、Web3 の構成要素の 1 つです。

●スマートコントラクトとブロックチェーンの関係性

　スマートコントラクトが取引の処理を行い、ブロックチェーンにて取引データの記録を行う。

【図5：スマートコントラクトとは、契約を自動で実行するプログラムのこと】

スマートコントラクトの例

「スマートコントラクト」とは、「事前に決めた契約を自動で実行するプログラム」のことです。

　たとえば、「自販機にお金を入れたらジュースが出てくる」ように、事前に決めた契約条件に基づいて、自動で実行される仕組みをスマートコントラクトと言います。この仲介者なく契約がスムーズに実行される仕組みが、Web3 の根幹となっています。

・お金を入れてボタンを押す　＝　契約条件
・ジュースが出る　　　　　　＝　契約の自動実行
⇒この仕組みがスマートコントラクト。仲介者なく契約がスムー

ズに実行される。

　なお、Web3で使われる「ブロックチェーン」（みんなで管理するネットワーク）は、「Ethereum（イーサリアム）」などのスマートコントラクト機能を持つブロックチェーンです。Ethereumの最大の特徴は、独自にスマートコントラクトを開発できる「プラットフォーム」である点です。

●クリエイターエコノミー

「クリエイターエコノミー」とは、個人の創作物でお金を得る経済活動のことです。
　今まではYouTube等での活動がクリエイターエコノミーの主役でしたが、Web3.0拡大にともなって、「メタバースとNFTを創作するクリエイターの市場」が拡大する可能性があります。

【図6：クリエイターエコノミーとWeb3】

1990年代〜 Web1.0		
一方通行なテキスト配信	**2010年代〜 Web2.0**	
・ブロガー	**双方向型のSNS等**	**2020年代〜 Web3.0**
・アフィリエイター	巨大プラットフォーマーのもと、動画、画像などの配信が可能に。	**分散型Web**
	・YouTuber、インフルエンサー、フリーランスなど。	ブロックチェーン上で管理者不在で個人同士が自由に交流し取引する世界へ。
		・メタバースとNFTを創作するクリエイター。

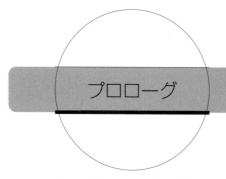

今日は僕の 18 歳の誕生日

　僕の名前は鈴木太郎。どこにでもいそうな名前だ。

　そのせいか、パッとしない人間である。

　現在高校 3 年生、来春には大学受験を控えている。

　そんな僕の父親は、10 年前に亡くなり、母親に言わせれば、超がつくほどの天才プログラマーだったらしい。わずかな記憶では、とても厳しい父親だった気がする。

　さっき母親から、あとで大事な話があると言われた。そういえば、今日は僕の誕生日だ。お祝いでもしてくれるのだろうか。

　そんな日に、新品のノートパソコンとゴーグルが届いた。その中に手紙があり、父親の部下だったという女性からだった。『あなたのお父様からの指令で、あるプログラムを開発しました。太郎さんに体験していただきたく、パソコンとゴーグルを

お届けします。

　あとは、取扱説明書に従って、アプリを起動してください』

　さらに母から渡された父の遺言書には、

「お前が18歳になった誕生日に、あるプレゼントが届く。その中には、取扱説明書があるはずだ。

　お前は、その取扱説明書を読んで、その通りに行動しなさい。今日がお前の素晴らしい門出の日となるだろう」

　と書かれていた。

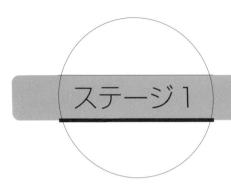

ステージ1

メタバースで
カメと出会う

**仮想空間と現実世界を繋ぐ装置である
「XR」とは何かを学ぶ**

●メタバースにログイン。カメとの遭遇！

　僕は、さっそくパソコンの電源を入れた。

　デスクトップには、たった1つの「メタバースして浦島太郎になる！」というアプリのアイコンがあり、僕は取扱説明書にしたがってゴーグルを装着し、そのアイコンをクリックした。

「あれ、何にも動かないぞ」

　そう思った瞬間、僕は意識を失った……。

　気がつくと、僕はどこかの浜辺に倒れていた。

「えっ、ここはどこだ？？？」

　よく見ると、浜辺で子どもたちが一匹のウミガメを突きまわしていた。

　そのとき、なぜか、「カメを助けなきゃ！」という強い感情が湧いてきたので、子どもたちを追い払い、カメを助けた。

「どこかで見たような話だなあ」

　と思いながら、カメを見ていると、頭の上から、

《登録しました》※

　という女性の声が聞こえた。

【※解説】

　太郎は、あらかじめプログラミングされていた「カメを助けたら、メタバースに登録される」という行為をしたため、メタバースの一員に登録され、カメに認識されたのである。「カメを助けなきゃ」という意思も、プログラムによる指示である。

　すると、カメが突然しゃべり始めた。

「太郎さん、ボクを助けてくれてありがとう。

　そして『メタバース※』にようこそ！　最初は戸惑うと思いますが、あなたにこの世界の様々なことをお教えしますので、これからボクについてきてくださいね (^_-)- ☆」

「なんで、僕の名前を知ってるんだ⁉　メタバース???　いったい何のことなんだ‼　だいたいここはどこなんだ⁉」

　突然の出来事に驚いていたが、あらためて自分の格好を確認すると、あの昔話の絵本に出ていた「浦島太郎の姿」をしていた‼

「なんだ、なんだ、この青い着物は。釣り竿まであるぞ。僕ってもしかして、浦島太郎〜⁉」

　と思っていると、カメがまたしゃべり始めた。

「えっと〜、じつはここは、浦島太郎の物語を『メタバース』の世界に再現していて、あなたは浦島太郎の『アバター』なんですよ (^^)/。

18歳の誕生日に
亡き父の部下から

ノートパソコンと
ゴーグルが届いた

説明書に従って
アプリをクリックすると

カチッ

メタバースして
浦島太郎になる！

え…？

意識を失った…

気がつくと、どこかの
浜辺にいて

子どもにいじめられている
カメがいたので助けた

すると突然
助けたカメが喋り始めた

「メタバース」に
ようこそ！

ボクは、
どうやらメタバースという
世界に来たらしい

【※解説】

　メタバースとは、インターネット上の「仮想空間」であり、ユーザーはその世界で、「アバター」と呼ばれるユーザーの「分身」を利用し、様々な活動を行うことができる。

　今から不思議なパワーをさずけます！」
「アバターってなんだあ？」
　と思いながら、カメを見ていると、何やらぶつぶつ呪文のように唱えていて、カメの小さな右足に光が集まってきた。そして、小さな右足をひょいと持ち上げて叫んだ。
「テトラ〜！」
　その瞬間、カメの右足の光が僕に向かって放たれた。一瞬僕の体が光に包まれたが、すぐに光が消えると、カメがしゃべった。
「今、アイテムを取り出せる力をさずけました。右手を上げて、テトラと言ってみてください。テトラは呪文です」

●アイテム「ARグラス」ゲット！

「アイテムって何だろう？」
　と思いながら、カメに言われたまま、右手を上げて、先ほどの呪文を唱えた。

「テトラ！」

　すると、右手のすぐ先に僕の上半身くらいの大きさの光の入口のようなものが浮かび上がった。

「光の中に手を入れてみてください。さわったものを掴んで取り出してください」

　カメに言われたとおり、光の中に手を入れると、そこには「**サングラス（AR グラス）**」があった。よく見ると、サングラスのフレームに桃の絵のアイコンが描かれている。

「かけてみてください」

　桃のアイコンがついたサングラスをかけると、僕は川の中にいた。でも、冷たくない。下半身は完全に水につかっている。大量の水がうねるように流れる川には、様々なものが流れている。

「わっ、何これ!?　これってまるで水害みたい!!　どうしよう??」

　と思って横を見ると、カメがおっさんの姿になっていた。

「災害シミュレーションじゃ」

「カメさん、いきなり口調がおっさんみたいになってない？」

「ここからは、太郎の教育係になったのじゃ。ほれ、前を見て！」

　前を見ると、今度は、穏やかになった川の上流から、大きな桃が流れてきた。

「カメさん、あれは何？？」

「桃じゃ。あの中に桃太郎が入っている」

「やっぱり、そうだよな～（笑）」

　と思いながら手を伸ばして桃を受け止めようとしたが、そのまま桃は僕の体を通過して流れていった。

「太郎、サングラスをはずすんじゃ」

　サングラスをはずすと、川も消えて先ほどの砂浜に立っていた。おっさんも消え、カメに戻っていた。

「今の何？」

「今のは『AR』（エーアール／拡張現実）と言って、現実世界（砂浜）にデジタル情報（川や桃等）を重ねる技術じゃ。

　たとえばスマホを使って、カメラで現実世界を撮影し、その映像に猫耳スタンプを重ねることもできるし、さっきみたいに水害や大雨などの災害シミュレーションにも使うことができる」

「なるほど、砂浜に川や桃などのデジタル情報を重ねていたんだね。だから桃が僕を通過したのか～」

「そうじゃ。では、次はサングラスを手に持って、再び呪文を唱えてみるのじゃ!!」

　カメの姿だったが、口調はおっさんだった！

【補足説明】

　メタバースの中で、ARを使用することはできないが、本書では物語の進行上許容している。

●アイテム「MRヘッドセット」ゲット！

「最初とめっちゃキャラ変わってるやん(@_@)」

　と思いながら、呪文（テトラ）を唱えると、サングラスが一瞬光に包まれ、「ヘッドセット」に進化した。

　ヘッドセットをよく見ると、マサカリのアイコンが描かれていた。

「太郎、ヘッドセットをかけるのじゃ」

　そうカメに言われヘッドセットを装着すると、砂浜に土俵と大きな熊、そして金と書かれた赤い腹がけを着ているおかっぱ頭の男の子が現れた。

　しばらく見ていると、土俵で男の子と熊が相撲を取り始めたが、あっという間に男の子が勝った。

「これもどっかで見たことがあるなあ」

　と思っているとカメがしゃべった。

「金太郎じゃ」

　視線を戻すと熊が土俵で手招きしている。

「よし、僕もやってみるか」

　土俵に入り、熊と向かい合った。はっけよいのこった、の掛け声とともに熊が突進してきた。

　僕は咄嗟に体をねじって熊の後ろに回り込み、突っ込んできた熊の背中を両手で押した。すると、勢いよく熊は土俵の外に押し出された。

「やったあ！　勝った〜！」

　ヘッドセットをはずすと、先ほど見えていた男の子も熊も土俵も消えていた。

「今のは何？」

「今のは『MR』（エムアール / 複合現実）と言って、先ほどのARの進化版じゃ。

　現実世界（砂浜）にデジタル情報（金太郎、熊等）を重ねただけでなく、実際に操作することができるのじゃ」

「よく分らないんだけど、ARとどう違うの？」

「いい質問じゃ。さっき熊と相撲をとった際に、熊の後ろに回り込んで、熊の背中を両手で押して勝ったじゃろ？　MRはデジタル情報（熊）を操作したり、裏に回り込んだりもできるのじゃ」

「なるほど。MRはARの進化版で、現実世界にデジタル情報を重ねるのは同じだけど、MRはそのデジタル情報も操作できるんだね」

【補足説明】

　メタバースの中で、MR を使用することはできないが、本書では物語の進行上許容している。

●「XR」の存在を知る

「そのとおりじゃ。ここで質問じゃが、AR と MR 以外にもう1つ、現実世界と仮想空間を繋ぐ装置があるが、何だと思う？」

「そういえば、僕、元の世界で『ゴーグル』を装着し、パソコンのアイコンをクリックしたら、ここにいきなり来たんだけど、それかなあ？」

「そのとおりじゃ！　それは『VR』（ブイアール / 仮想現実）と言って、ゴーグルをはめると現実世界から仮想空間に入ることができるのじゃ」

「じゃあ、ここって仮想空間なの？」

「そのとおりじゃ。VR、AR、MR は仮想空間と現実世界を繋ぐ装置じゃ。VR、AR、MR 等をまとめて XR（クロスリアリティ）と呼んでおる」

「えっと～、じゃあこれまでのことを整理するね。

　僕は、現実では鈴木太郎で、『ゴーグル』（VR）をかけたら、現実世界からメタバースに来て、浦島太郎になった、と。

　ARは、『サングラス』をかけたら、仮想情報の桃が川から流れてきた、と。

　MRは、『ヘッドセット』をかけたら、仮想情報の金太郎が熊と相撲をとっているのが見えて、さらに僕が熊の背中を押して勝った、と。

　つまり、XRって、仮想空間と現実世界を繋ぐ装置＝三太郎（浦島太郎、桃太郎、金太郎）ってこと？」

「うまいこと言うのう（笑）」

【補足説明】

　VRによって入り込んだメタバースの中で、AR、MRを使用することはできないが、本書では物語の進行上許容している。

●ハッカーからの攻撃！
　カメ、ウィルスに感染し消える

　突然、頭の上から女性の声が聞こえた。

《ステージ1クリア！》

　と同時に、けたたましい警報音と警告が流れた‼

《緊急事態発生！　緊急事態発生！　ウィルス感染！　回復プログラム発動！》

　ふと、カメを見ると、すでに消えかけていた。
「えっ、カメさん、ちょっと大丈夫⁉」
「ウィルスに感染した‼　おそらくあいつらの仕業じゃ」
「あいつらって？」
「ハッカーじゃ」
「えっ、どうなっちゃうの？　消えちゃうの？」
　今にも消えかけているカメが呪文を唱えると、僕が手に持っていたヘッドセットが、貝型の［タブレット］に進化した。
「そのタブレットは、空間移動するとき使う大事なアイテムじゃ。
　2年後の誕生日に必ずこの砂浜に来るんじゃぞ‼　お前も元の世界に戻れ‼」
「必ず戻ってくるよ。カメさんも戻ってきてよ！　約束だよ‼」
　カメはうなずくと、砂浜から消えていった。

●現実世界に戻る！

　すると、先ほどの女性の声で、

《**緊急避難‼**》

　という声が聞こえた。

　その瞬間、目の前が真っ暗になり、気がつくとゴーグルをかけ、パソコンの前に座っていた。僕は、現実世界に戻っていたのだ。

　そして、2年の月日が流れた。

　今日は 2025 年、僕の 20 歳の誕生日だ。母親がキッチンで、僕の大好きな鶏料理をつくっている。

　すると、突然、部屋のパソコンから電子音が鳴り響いた！どんどん音量が大きくなっている。

「思い出した‼　そうだ！　メタバースに戻らなきゃ‼　カメさんに会いに行かなきゃ‼」

　僕は、母親に「ごめん、すぐに戻ってくる！」と伝え、パソコンの前に座り、ゴーグルを装着し、例のアプリのアイコンをクリックした！

　その瞬間、僕は気を失った。

to be continued

【ステージ1：学習のまとめ】

XR（クロスリアリティ）　　▶ VR、AR、MR等の関連
　　　　　　　　　　　　　　　　技術の総称

VR（ブイアール / 仮想現実）　▶ 仮想空間に入る

AR（エーアール/拡張現実）　▶ 現実に仮想情報を表示

MR（エムアール / 複合現実）　▶ 現実に仮想情報を表示さ
　　　　　　　　　　　　　　　　せるだけでなく、操作可
　　　　　　　　　　　　　　　　能。AR の進化版

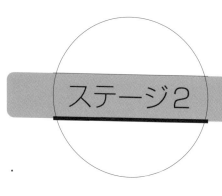

ステージ2

カメとの再会、
そして龍宮城へ

メタバースと Web3 とは何かを学ぶ

●カメとの再会

　僕は砂浜にいた。

　手には貝型のタブレットを持っている。

「この前の砂浜だ！」

　と思いながら、あたりを見回していると、

《再接続しました》

　という女性の声が聞こえた。

　海を見ると、沖のほうから砂浜に向かってカメの甲羅らしき
ものがどんどん近づいてくる。僕は嬉しくなって思わず叫んだ。

「おーい、カメさん!!」

　カメの甲羅はどんどん近づき、浜辺に着いた。あのカメには
違いないが、以前より大きくなっていて、黒光りした顔にサン
グラスをかけている。

「カメさん、日焼けした？　何か、イカツいんですけど（汗）」

　カメはニヤリと笑って、右足でサングラスをクイッと持ち上
げ、しゃべり始めた。

「いや〜太郎、久しぶりじゃな。時が経つのは速いのう。どう

じゃこの格好？」

「もう本当に心配したんだから。大丈夫だった？」

「スルーか？　さすがじゃ太郎、大人になったのう。

　この前は、ハッカーの攻撃で危ういところじゃったが、回復プログラムが作動して一命をとりとめたわい」

「ハッカーって、どういうこと？」

「ハッキング（改ざん）をする人間のことじゃ。ハッキングが困難な『ブロックチェーン』なんじゃが、あいつらはプログラムの弱いところを突くんじゃ」

「ブロックチェーンって何？」

「この世界を理解するために大切なことなので、今から話すことをよく頭に入れるんじゃ。まずは初歩から教えるぞ」

「僕って結果が分かればいいんだよね。タイパ（かけた時間に対する満足度）大事だし」

　カメはふと真顔になった。

「怒ったの？　カメさん。じゃあ話聞くよ」

　僕はあわてて答えた。

●「メタバースとアバター」を学ぶ

　カメは咳払いして、いつもの調子でしゃべり始めた。

「ブロックチェーンの説明の前に、まず復習じゃ。

　この世界は、浦島太郎の物語を『メタバース（仮想空間）』の世界に再現していて、お主は浦島太郎のアバターと説明したのは覚えているか？」

「覚えているよ。僕は、現実では鈴木太郎で、『ゴーグル（VR）』をかけたら、現実世界からメタバースに来て、浦島太郎になったんでしょ」

「そうじゃ。メタバースとは、オンラインで繋がる『仮想空間』のことじゃ。

　メタバースでは、お主のような現実世界から来た者たちが交流できるようになっていて、その際に、『アバター』と呼ばれる分身を利用することがあるんじゃ」

「なるほど。じゃあ今の僕はアバターなの？」

「そうじゃ。メタバースは大きく次の2つに分けることができる。

　1つは、独自のメタバースで、メタバース間を行き来できない『クローズドメタバース』と言われるもので、通常はこっちじゃ。

　そして、もう1つは、異なるメタバースの世界を自由に行き来できる『オープンメタバース』※と言われるものじゃ」

「で、この浦島太郎のメタバースはどっち？」

「オープンメタバースじゃ‼」

【※解説】

　オープンメタバースは、筆者が知る限り、現時点ではまだ稼働していない（2023.7月現在）。

●「ブロックチェーン」を学ぶ

　カメは気分が乗ってきたようで、ハイテンションでしゃべり始めた。

「それで、『ブロックチェーンというのは、みんなで管理するネットワーク』のことじゃ。そしてこの世界は、ブロックチェーンとプログラムで管理されている」

「は？」

「お主が、結果からと言うからじゃ」

「悪かったよ。詳しく説明して」

「よかろう。ブロックチェーンとは、『取引履歴（ブロック）』を過去から1本の鎖をつなげるように記録し、このブロックを複数連結したものじゃ。

　そして、すべてのブロックをみんなで監視するため、データの改ざんが難しいんじゃ」

「何となく分かったけど、今までのネットワークとどう違うの？」

「今までは、元締めを通じて取引をしてたんじゃ。だから、元

締めだけに取引の情報が集まるし、元締めが仲介手数料をもらっていた。

　では、その元締めが悪さをしたらどうなると思う？」

「僕たちは、そもそも分らないか、分かっても何も言えない。その行為がひどいと捕まると思うけど」

「そうじゃ。それが今までのネットワーク、Web 2じゃ」

「なるほど！　今までは元締めがネットワークを管理していたけど、ブロックチェーンは、すべての取引履歴をみんなで監視するので、データの改ざんが極めて難しいということだね。

　じゃあ、なぜハッカーに狙われるの？」

「いい質問じゃ。改ざんが極めて困難とはいえシステムである以上、弱い部分がある。そこをハッカーは狙うんじゃ。だから個人個人のセキュリティ対策が重要になる」

「一人ひとりが気をつけることが大事ということだね」

「そうじゃ。むしろ管理者がいない分、個人が意識的に気をつけるべきじゃ」

【補足説明】

　ブロックチェーン絡みの説明は、イメージしやすいように簡略化して説明。

●「DApps、OpenSea、暗号資産、ウォレット」を学ぶ

「太郎、これから龍宮城に向かうぞ。ただ、その恰好じゃ龍宮城には入れない。そして、龍宮城ではお金も必要じゃ」

「そうなの？　しかも龍宮城にお金が必要だなんて、何かイメージ違う！」

「まあまあ、準備を整えれば大丈夫じゃ。お主が手に持っている貝のタブレットを開いてみるんじゃ」

「えっ、これ開くの？」

　カメから言われたとおり、貝の上下に手を置くと、「ピッ！」と音が鳴って開き、ノートパソコンのようにデスクトップとキーボードが現れた。

「そのキーボードの右上にある、貝型のボタンをタッチするんじゃ」

　貝型のボタンをタッチすると、画面に『OpenSea（オープンシー）』という文が浮かんで、アプリが立ち上がった。

「OpenSeaって何？？」

「慌てるでない。まず、ブロックチェーン上には色々な種類の『アプリ』があって、このアプリを総称して『DApps（ダップス）』と呼ぶ。そして、DAppsのなかの1つがOpenSeaじゃ」

「なるほど、DAppsはブロックチェーン上のアプリの総称な

んだね。それで、OpenSea はどういうアプリなの？」

「OpenSea は、アートやスキン（アバターが着る服）といっ
た『NFT（エヌエフティ）唯一無二性を持つデジタル資産)』
が売買できるマーケットプレイスじゃ。ここでお主は、龍宮城
で着る服を買うんじゃ」

「どうやって買うの？」

「まず、お金が必要じゃ。ただし、ブロックチェーン上のアプ
リでは、現金の代わりに『暗号資産』というデジタル資産が必
要じゃ」

「僕が、そんなの持ってないに決まってるじゃん。このままの
格好で龍宮城に行く！（怒）」

「待て待て。貝のボタンの隣のきつねのマークのボタンをタッ
チしてみなさい」

　きつねのボタンをタッチすると、画面に『MetaMask（メ
タマスク)』というアプリが立ち上がった。

「これは『ウォレット』と呼ばれ、暗号資産や NFT を保管す
る『電子財布』じゃ。

　ウォレットは2種類あって、インターネットと繋がっている
『ホットウォレット』と、インターネットに繋がっていない『コー
ルドウォレット』がある。ちなみに、MetaMask は、世界的に
利用されているホットウォレットじゃ。

　接続ボタンをタッチすると OpenSea と MetaMask が繋がっ
て、いよいよ買い物ができる」

メタバースとWeb3とは何かを学ぶ　**043**

　接続ボタンにタッチすると、接続に成功した！

「カメさん、MetaMask に、『ETH（イーサ：暗号資産の代表的なプラットホームであるイーサリアムで使用される通貨の単位のこと）』という表示があるよ。何これ？」

「ETH は、ブロックチェーン上で使える暗号資産じゃ。すでに 3ETH あるので、これで太郎の好きなスキンを買いなさい」

「どうやって買うんだっけ♪」

「試しに『革ジャン』と入れ、検索して、表示された画像をタッチしてみるんじゃ。わしも革ジャン持っとるぞ（ニヤリ）」

　言われたとおり革ジャンと検索し、画像をタッチしてみると、『購入』と表記された。すると目の前に光のリングが現れ、その中に手を入れると、革ジャンが手に入った。

「太郎、引っかかったのう（笑）。早速その革ジャンを着てみるんじゃ」

　僕は、しぶしぶ着物の上に革ジャンを着てみた。

「おお!!　太郎、とっても似合っているじゃないか!!　いい男じゃ。これで龍宮城に行ったら人気者じゃぞ」

　そう言われたら、ちょっと嬉しくなった（テヘへ）。

●「Web3」を学ぶ

「ブロックチェーン、DApps、OpenSea、暗号資産、ウォレッ

トと説明してきたが、それらを全部ひっくるめて『Web3』と
言うんじゃ」

「Web3 って何？」

「Web3 とは、次世代のウェブのことじゃ。

　最大の特徴は、これまでは、銀行や証券会社、不動産会社
等での価値の交換は、仲介者（管理者）が必要だったのが、
Web3 では、仲介者なく、ユーザー間で価値を交換すること
が可能じゃ」

「それって、さっきのブロックチェーンと似ているね」

「さすがじゃ。Web3 の基盤がブロックチェーンじゃ」

「メタバースと Web3 ってどういう関係なの？」

「まったく別の概念じゃが、組み合わせは可能じゃ。そのあた
りは今後、理解していくだろう」

「整理すると、Web3 とは次世代のウェブで、ブロックチェー
ンが基盤。

　最大の特徴は仲介者（管理者）なく、ユーザー間で価値の交
換ができること。

　メタバースと Web3 はまったく別の概念だけど、組み合わ
せはできる」

「そのとおりじゃ」

●「龍宮城のメタバース」へログイン

突然、頭の上から女性の声が聞こえた。

《ステージ2クリア！》

するとカメが突然、海のほうを向き背中をこちらに向けた。
「龍宮城に行く準備ができた。私の背中に乗りなさい。タブレットは持ったか？」
僕は、左手に貝型のタブレットを持ち、カメにまたがった。
僕を背中に乗せたカメは、どんどん海に向かって歩いていく。
波打ち際まで来たところで、突然タブレットが光り出し、僕とカメは「光の球体」に包まれた。
「今から『龍宮城のメタバース』に突入するぞ！」
「えっ、龍宮城は違うメタバースなの？」
「この砂浜は『村のメタバース』じゃ。しっかりつかまっておれ！」
僕とカメを包んでいる光の球体が海に接した瞬間、ワープした！

to be continued

【ステージ2：学習のまとめ】

- ●「メタバース」とは、オンラインで繋がる「仮想空間」のこと。ユーザー同士が交流できるようになっているが、その際に、「アバター」と呼ばれるユーザーの分身を利用する。

- ●「ブロックチェーン」とは、みんなで管理するネットワークである。取引履歴（ブロック）を過去から1本の鎖のようにつなげるように記録され、このブロックが複数連結したものをブロックチェーンと言う。

  すべての取引履歴を皆で監視するため、データの破壊・改ざんが極めて難しいと言われている。

- ●「Web3」とは、次世代のウェブで、ブロックチェーンが基盤。最大の特徴は仲介者（管理者）なくユーザー間で価値の交換ができること。メタバースとWeb3はまったく別の概念だが、組み合わせは可能。

※ブロックチェーン、NFT（唯一無二性を持つデジタル資産）、DApps（ブロックチェーン上のアプリの総称）、暗号資産（ブロックチェーン上で使われるデジタル資産）、ウォレット（暗号資産やNFTを入れる電子財布）など、これらすべて、Web3の構成要素の1つ。

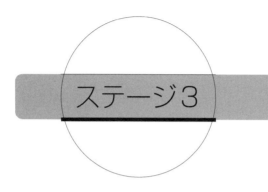

ステージ3

クリエイターエコノミー
の可能性

メタバースと NFT の「経済活動」を学ぶ

●「龍宮城のメタバース」に到着

　僕とカメを包んでいる光の球体が海に接した瞬間、一瞬目の前が真っ暗となったが、目を開けると、僕の目の前にコバルトブルーの海が広がっていた。

　球体のまわりには、色とりどりのたくさんの魚が泳いでいて、遠くには建物らしきものも見える。

《再接続しました。サービスの「相互運用」を開始します》※

　という女性の声が聞こえた。

【※解説】
「オープンメタバース」の世界では、異なるメタバース間でもアバターやNFTの持ち込み（相互運用）が可能と言われている。

「ここから、メタバースの経済活動について学んでいくぞ」

　すると、光の球体の近くを泳いでいた、小さなピンク色の魚が突然話しかけてきた。

「『龍宮城メタバース』にようこそ。浦島太郎さん、お待ちしていました」

「魚がしゃべったああああ!?　何で僕の名前を知っているの？」

「ここでは、あなたを知らない者はいないですよ。その革ジャン素敵ですね（クス）」

「太郎、言ったじゃろ。これで龍宮城に行ったら、お主は人気者じゃあ」

　僕の下からカメがニヤリと笑った。

「私は『キャサリン』と言います。今から龍宮城へご案内いたします」

「ども、キャサリンさん、よろしく。あそこに建物が見えるけど、あれが龍宮城ですか？」

「ああ、あれは違うわ。まあ、ついてきて」

　僕とカメを乗せた球体は、急にタメ口になったキャサリンの後についていくと、先ほどの建物の前に着いた。

　すると、僕たちを包んでいた光の球体は、すーっと建物に近づいた瞬間、目の前にあった透明な壁をすり抜け、消えた！

　そこは、まるで、海底につくられた透明なドームのようになっていて、僕は、その場所に立っていた。

　近くで見ると大きな屋敷で、門の前には人だかりができている。

　気がつくと、キャサリンは、カワイイ人間の女性の姿になっ

ているではないか！

　と同時に、カメも人間に変身していた。顔は、カメのままだったが。

「え〜、キャサリンさん、カメさん‼　どうなっちゃったの？」

「私はここで待っているので、さあ二人で入って」

　僕は、混乱しながらも、人混みをかき分け、人間になったカメとともに屋敷の門をくぐった。

●「メタバースEC、バーチャル接客」を知る

　屋敷の門をくぐると、建物に向かって道があり、両脇に出店のように店舗が並んでいて、店員が接客をしている。

「何、これ？」

「『メタバースEC』じゃ。メタバースECとは、3Dで構築したオンラインショップをメタバースに出店することを言う。

　ここでは店員のアバターが接客することもできる。これが『バーチャル接客』じゃ。

　従来のECサイトは、検索して来店してくれたお客にしかアプローチできなかったんじゃ。

　でも、メタバースECは、メタバースに入った通りすがりの人にもアプローチできるという点じゃ。

　もう、『バーチャルマーケット』※というメタバースには、

アパレルメーカー、百貨店、銀行、自治体など、様々な企業や団体が出店しておるぞ」

【※解説】
　バーチャルマーケットとは、株式会社 HIKKY が主催する、仮想空間上でのマーケットイベントである。アバター等の 3D データ商品やリアル商品を売買できる。世界中から 100 万人以上が来場し、ギネス世界記録 ™ も取得している。

「ちょっと見ていい？」
　僕は、店員のアバターから声をかけられたので、陳列されている食べ物に近づき、手をかざすと、その食べ物の詳細と価格が表示されたディスプレイが目の前の空間に浮かんだ。
「ここからは EC サイトと一緒のやり方で買えるの？」
「そうじゃ」
「なるほど。欲しいものが決まっているときは EC サイトが早いけど、特に決まっていなかったり、店員にアドバイスを受けたかったりするときは、メタバース EC が便利かもね」
　僕は、特に食べ物は欲しくなかったので、奥の建物のほうに進んだ。建物に近づくにつれて、音楽が聞こえてきた。

●「バーチャルライブ」を知る

　建物に着いて、中を覗くと、奥の舞台で、司会から順番で呼ばれた出場者が音楽に合わせて和歌を詠んでいた。対面には審査員が4人いて、その後ろには観客が控えている。
「何、これ？」
「『平安和歌タレント』じゃ」
「平安和歌タレント!?」
「平安時代の歌人が登場して、自分の和歌を詠んで、技を競うゲームじゃ」

　突然、司会が興奮した声でしゃべった。
「本日のメインイベント、決勝です！　まずは、エントリーNo.57、『とにかく暗い紫式部さん』どうぞ!!」
　舞台の裾から、高貴な紫色の十二単をまとった女性が舞台に立つと、審査員の一人が女性に語りかけた。
「2024年1月に大河にも出られる予定ですね。私は『源氏物語』のファンなんですよ。今日調子はどうですか？」
「絶好調ですけど、あの女性にだけは負けたくないですね」
「清少納言さんですよね？　それでは詠んでください」
　司会の声を合図に、紫式部は笛や小鼓のリズムに合わせて、

俯き加減で右足でリズムをとっている。

「もしかして？」

　僕はカメに小声で話しかけた。

「百人一首の本人出演バージョンじゃ」

　リズムと音楽に乗って、紫式部が大きな声で和歌を詠み出した。

「めぐり逢ひて　見しやそれとも　わかぬ間に　雲隠れにし夜半の月かな」

　観客から歓声が上がり、3 人の審査員が「合格」の札を上げた。

　続けて、司会が興奮した声でしゃべった。

「続きましては、エントリー No. 62、『とにかく明るい清少納言さん』どうぞ‼」

　華やかな橙色の十二単をまとった女性が舞台に立つと、先ほどとは違う審査員が女性に語りかけた。

「『枕草子』しびれますね。今日は勝てそうですか？」

「余裕です‼」

　笛や小鼓のリズムに合わせて笑顔で右足でリズムをとって、高らかに和歌を詠み出した。

「夜こめて　鳥の空音は　はかるとも　よに逢坂の　関はゆるさじ」

　観客から歓声が上がり、同じく 3 人の審査員が「合格」の札を上げた。

【補足説明】

　紫式部と清少納言のエントリーナンバーは、百人一首の歌番号（和歌番号）と一致する。因みに、歌番号の順番は、おおむね古い歌人から新しい歌人の順である。

「決勝は引き分けじゃったな。手に汗握る戦いじゃったのう」とカメ。

「どうなることかとハラハラしたよ」と僕。

「このような仮想空間上のライブのことを、『バーチャルライブ』と言うんじゃ。

　2020年4月にトラヴィス・スコットというアメリカの歌手が、『フォートナイト』※というメタバースでライブを行い、このライブのタイミングで、フォートナイトは同時接続数1230万人を記録し、約20億円の売上を上げたと言われておる。

　日本でも有名なアーティストのバーチャルライブが開催されたんじゃ」

「これはすごいね。実際のライブと比べてどのようなメリットがあるの？」

「まず、距離の制約を受けずに、どこからでも参加可能じゃ。

　また、会場がひっくり返るなど現実ではできない演出や、NFTやメタバースECと連動してグッズを販売することもできる」

「アーティストにとって、メタバースや NFT は可能性が広がるね」

「そのとおりじゃ。アーティストやクリエイターにとって、メタバースと NFT は相性がいいからの」

【※解説】

　フォートナイトとは、米 Epic Games が 2017 年にリリースしたオンラインのバトルロイヤル（生き残り）ゲーム。ボイスチャット機能を使い、フレンドと会話しながら遊ぶことが可能。

【補足説明】

　紫式部、清少納言の性格等は、パロディ化しており史実とは異なる。

●「クリエイターエコノミー」を学ぶ

「バーチャルライブは分かったけど、メタバースでは、他にどんなことができるの？」

「たとえば、お主が今着ている革ジャン（NFT/ 唯一無二性を持つデジタル資産）は、『メタバースファッションデザイナー』がつくったものじゃ。

　アバター用アイテムの売上だけで生活費を稼げるようになった者も存在する。

　さらに、この屋敷も『バーチャル建築家』と呼ばれるクリエイターがつくったものじゃ」

「この空間そのものも？」

「メタバースの空間も『ワールドクリエイター』と呼ばれるクリエイターがつくっておる」

「メタバースは、クリエイター天国だね」

「こうした『クリエイターエコノミー』は、個人の創作物でお金を得る経済活動のことじゃが、今までは『YouTube』での活動がクリエイターエコノミーの主役じゃった。

　それが、Web3 の拡大にともなって、『メタバースと NFT を創作するクリエイター市場』が拡大する可能性があるんじゃ」

「Web2 のクリエイターエコノミーとどう違うの？」

「逆に質問じゃが、Web3 って何か覚えておるか？」

「えっと、Web3 とは次世代のウェブで、ブロックチェーンが基盤。最大の特徴は管理者がいなく、ユーザー間で価値の交換ができること」

「よく覚えておったのう。では、クリエイターにとって、管理者がいないメリットは？」

「分かった！　今までは管理者ありきのクリエイターエコノミーだったので、管理者からアカウントを停止される心配も

あったし、中間マージンがあった。

　でもWeb3では、管理者からアカウントを停止される心配もなく、ユーザー間で直接やり取りできるから、クリエイターエコノミーが拡大する可能性があるということだね」

「そのとおりじゃ」

●龍宮城出現！

　建物から出て、ふと隣を見るとキャサリンが横を歩いていた。

「あれ、キャサリンさん、表で待ってるんじゃなかったの？」

「あまりにも遅かったから、待ちくたびれて来ちゃったわよ〜」

　と上目づかいに言って、僕の腕をつかんできた。

　僕はドキドキしながら、

「ところで、龍宮城に連れて行ってくれるんじゃなかったの？」

　と聞いてみた。

「ふふ、龍宮城はここよ♥♥」

「ここは和歌バトルの建物の前じゃん」

「百人一首の9番、世界三大美女の一人、小野小町の和歌を詠んでみて」

「分かった。小さい頃父さんと百人一首したから、小野小町は覚えているぞ。えっと、『花の色は　移りにけりな　いたづらに　わが身世にふる　ながめせしまに』」

　僕が小野小町の和歌を詠み終わると、さっきの建物が一瞬で消え、三棟からなる巨大なお城のような建物が現れた。

「龍宮城よ」

　城は、緑の屋根瓦、両端には金色の龍の飾りが乗っており、見事な赤い外壁と、しっかりとした茶色の門がついている。周囲は色とりどりの珊瑚が取り囲み、城は眩いばかりの光を放っている。

「浦島太郎の歌に『絵にも書けない美しさ』とあるけど、本当にそうだな」と心の中で考えていると、カメがしゃべった。

「ほれ！　何をぼーっとしておる。龍宮城に入るぞ」

　3人で門の前に立つと、

「太郎、例の呪文を唱えてみよ」

　カメから言われたので、右手を上げて、呪文を唱えた。

「テトラ！」

　すると、目の前の門の扉がゆっくりと開いた。

●「NFTアート」の希少性を学ぶ

「門をくぐると、多くの人が盛大に歓迎してくれる‼」

　と想像していたが、あたりはしんと静まりかえっていた。奥には煌びやかな建物が建っていた。

　奥に向かって歩いていき、建物の入り口まで来たが、扉は閉

ざされている。扉の右の壁には、美しい姿の女性が描かれた絵画が飾ってある。

「これ何？　綺麗な人だね」

「乙姫様の『NFT アート』じゃ」

「乙姫様ってあの乙姫様？　じゃあこの建物の中にいるの？」

「それはわからないわ〜♪」

　キャサリンが、意味深な表情で答えた。

「ところで、NFT アートって何？」

「NFT アートとは、お主が着ている革ジャンの絵画バージョンじゃ。手をかざしてみよ」

　僕は、絵画に手をかざすと、10,000ETH と価格が表示されたディスプレイが目の前に現れた。

「えっ、10,000ETH !?　僕がカメさんからもらった暗号資産が 3ETH だったでしょ。何でこんなに高いの？」

「乙姫様だからというのもあるが、NFT はまったく同一のものは存在せず、他のもので代替できない。それゆえに希少性があるんじゃ。

　以前、インドネシアの大学生が 5 年間ほぼ毎日、パソコンに向かう自分自身の姿を自撮りした NFT コレクションが 1 億を超えたと話題になったんじゃ」

「自撮りで!?　そんなの誰が買うの？　と思っちゃうけど、一点ものだから値段がつかないし、希少性が高い。これが NFT の可能性だね」

「そうじゃ。他にも NFT の可能性があるが、また教えること
にする」

　すると、頭の上から女性の声が聞こえた。

《ステージ3クリア！》

　すると突然、キャサリンが光り始めた‼　そして、また別の
姿に変わっていくではないか‼
「わっ、まぶしい‼」
　光に包まれたキャサリンが語りかけてきた。
「太郎さん、ようこそ龍宮城へ」

to be continued

【ステージ3：学習のまとめ】

- 「メタバース」とは、オンラインで繋がる「仮想空間」のこと。メタバースは大きく次の2つの世界に分けることができる。

　　オープンメタバース　　▶異なるメタバースの世界を自由に行き来できる。アバターやNFTの持ち込みが可能と言われている。

　　クローズドメタバース　▶独自のメタバースで、メタバース間を行き来できない。

- 「メタバースEC」とは、3Dで構築したオンラインショップをメタバースに出店することを言う。

- 「バーチャルライブ」とは、メタバース上のライブのこという。距離の制約を受けずにどこからでも参加できて、現実ではできない演出や、NFTやメタバースECと連動してグッズを販売することも可能である。

- 「クリエイターエコノミー」とは、個人の創作物でお金を得る経済活動のことである。今まではYouTubeでの活動が主役であったが、Web3の拡大にともなって、「メタバースとNFTを創作するクリエイターの市場」が拡大する可能性がある。

- 「NFT（唯一無二性を持つデジタル資産）」は、まったく同一のものは存在せず、それゆえに希少性がある。この特徴により、高額で取引される可能性がある。

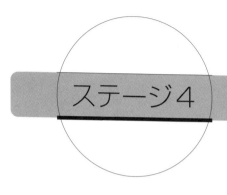

ステージ4

乙姫様と出会う

**スマートコントラクト、DEX、DeFi
とは何かを学ぶ**

●乙姫様とファーストコンタクト！

「あなたはもしかして⁉」

　と驚いていると、金の髪飾りに、淡いピンクの裾が膝上の十二単をまとった美しい女性が現れた！

「さっきの絵画の女性だ！　あなたは乙姫様ですか⁉」

「はい！　私は乙姫です。あなたが来るのを待ちきれなくて、海中では小さなお魚の姿でお待ちしていました。太郎さん、ようこそ龍宮城へ」

　乙姫様がうやうやしく頭をさげると、十二単の裾がほんの少しめくれ上がった。その瞬間、僕は乙姫様に一目ぼれした (^^;

「太郎、何をぼーっとしておる。お主も挨拶せぬか」

「あ、はい、改めまして、鈴木太郎、アバターは浦島太郎です。

　こんな綺麗な方とお知り合いになれて嬉しいです〜」

「そんなこと言って、和歌バトルの建物の前で、キャサリン（＝私）があなたの腕をつかんだとき、ドキドキしていなかったかしら？ (^_-)-☆」

　と、いたずらっぽい表情で見つめてきたので、

「ところで、そこにかかっている絵画、僕には高すぎて手が届かないです (;^_^A」

と、思わず話題を変えた。

「ああ、私の NFT アートですね」

　乙姫様は、ちょっと恥ずかしそうにしたが、急に気を取り直したかのように顔をきりりとさせ、こう言った。

「太郎さん、あなたを龍宮城にお招きしたのは他でもありません。ここで、メタバースや Web3 について、しっかり学んでほしいからです。カメさん、いいですね！」

　そう言って、カメに向かってウィンクした。

「おお、しっかり教えていくぞ！」

　乙姫様は僕に向き直り、話し始めた。

●「オフチェーン NFT、 フルオンチェーン NFT」を学ぶ

「NFT アートは、保有者情報と画像などのデータで構成されています。ただ、データ容量の大きい画像をブロックチェーンに保存するには、技術的・経済的なハードルがあります。

　そこで、ほとんどの画像データをブロックチェーンの外のサーバーで管理しています。これを『オフチェーン NFT』と言います。

　私の絵画は『フルオンチェーン NFT』と言って、画像デー

タを含めて、すべてのデータをイーサリアムのブロックチェーン上に保存しているため貴重なものになるのです。

　さて、問題です。サーバー上の画像データが消えたらNFTの画像はどうなると思う？？

　A　全部消える
　B　一部消える」

「えっ!?　両方消えるじゃん（笑）。
　ということは、質問の答えはAだね。ほとんどのNFTは、もしサーバー上の画像データが消えたら、NFTの画像データもなくなるの？」
「ここからは、カメさんに教えていただきましょう」

「わかった。太郎そのとおりじゃ。ただ、**NFTの趣旨を考えると、今後、フルオンチェーンNFTは増えてきそうじゃな**。
　最近では、ビットコインのブロックチェーン上で構築できるフルオンチェーンNFTである、『ビットコインNFT（Ordinals/オーディナルス）』が注目を集めておる。
　ビットコインNFTは、従来のフルオンチェーンNFTと比較して、約100分の1のコストでNFTを発行可能なようじゃ」
「なるほど、NFTの趣旨から考えると、フルオンチェーン

NFT が本来の姿だと思うけど、コスト面や技術的な問題から、まだ初心者にはハードルが高そうだね。ただ、今後は増えてくるということだね」

「そのとおり」

「ところで、イーサリアム、ビットコインとか言っているけど、もしかしてブロックチェーンって色々種類があるの？」

●「スマートコントラクト」を学ぶ

「あら、カメさん、そこはまだ伝えてなかったのですか？」

「最初から色々言っても、混乱するからのう。

太郎、ブロックチェーンは、現在世界中に数多くの種類が存在し、それぞれ異なる目的や独自の特徴を持っているんじゃ」

「ええっ、そんなに種類があるの⁉」

「Web3 とブロックチェーンの関係を覚えておるか？」

「えっと、Web3 とは次世代のウェブで、ブロックチェーンが基盤でしょ」

「そうじゃ。では、ブロックチェーンなら何でも Web3 の基盤になると思うか？」

「でしょう？　Web3 の基盤なんだから」

「ハズレじゃ。Web3 で使われるブロックチェーンは、何でもいいわけではなく、イーサリアムなどの『スマートコントラ

クト』機能を持つブロックチェーンじゃ」

「えっ、スマートコントラクトって何のこと？」
「スマートコントラクトとは、『事前に決めた契約を自動で実行するプログラム』のことじゃ。

　たとえば、『自販機にお金を入れたらジュースが出てくる』ように、事前に決めた契約条件に基づいて、自動で実行される仕組みをスマートコントラクトと言う。この管理者なく契約がスムーズに実行される仕組みが、Web3の根幹となっているんじゃ。

　ちなみに、スマートコントラクトとブロックチェーンの関係は、スマートコントラクトが取引の処理を行い、ブロックチェーンにて取引データの記録を行うという関係じゃ」

「なるほど、Web3の基盤はスマートコントラクト＆ブロックチェーンで、これによって取引の透明性や信頼性が担保できるんだね。

　僕が持っている暗号資産もETHだし、この世界で使われているブロックチェーンもイーサリアム？」
「そのとおりじゃ。もう少し細かく言うと、ビットコインにもスマートコントラクトのようなものはあるんじゃが、暗号資産の送金機能に特化しているんじゃ。

　イーサリアムはそれだけでなく、ブロックチェーン上でス

マートコントラクト機能を使って、自由に DApps を開発できる『プラットフォーム』であるので、Web3 ではこちらが主流なんじゃ。

　太郎、DApps とは何か覚えておるか？」

「DApps って、ブロックチェーン上のアプリの総称で『OpenSea』も DApps の 1 つなんでしょ」

「よく覚えておったな。この DApps こそが Web3 の世界をつくっておるんじゃ」

「整理すると、Web3 の基盤は、スマートコントラクト＆ブロックチェーン。そして、スマートコントラクト機能を使って開発された DApps が、Web3 の世界をつくっている。

　ということで合ってる？」

●「ガス代」を学ぶ

「素晴らしい‼　そのとおりじゃ。

　ちなみにイーサリアム上でスマートコントラクトを動かす際には、『ガス代』と呼ばれる手数料が必要じゃ。お主が皮ジャンを買ったときにもガス代は引かれておる」

「ということは、何かを購入する際は、商品の代金ぴったりではなくて、ガス代も考えて多めの資金が必要だね」

「太郎は理解が早くなってきたなあ。そのとおりじゃ」

　カメは、なんか嬉しそうだった。

《設定された中間目標をクリアしました》

　という女性の声が聞こえた。
　突然、目の前の建物の扉が開いた。
「さあ、中に入りましょう。太郎さん」

●乙姫様から「NFTアイテム」をもらう

　案内する乙姫様の後ろ姿に見とれながら、建物の中に入った。
「ここが私の家です」
　目線を下から正面に向けると、室内とは思えない広大な空間に、金色の龍の意匠が入った赤い柱が両側に並んでいた。
　石畳の先には左右に川が流れており、赤色の橋がかかっている。さらに奥には金箔の襖が並んでいる。
　乙姫様が右手を上げると、突然、天女らしき着物の女性が現れ、歓迎の歌を歌い、舞を踊り始めた。
「奥の部屋にご馳走を用意していますので、どうぞ」
「ようやく龍宮城っぽくなってきたぞ」
　と思いながら、赤色の橋を渡り、その奥にある金箔の襖を開けると、テーブルの上に数々のご馳走が並んでいた。

「僕の好きな『鶏料理』だ！」

「わしの好きな『クラゲと海藻のマリネ』じゃ！」

「どうぞ、ゆっくり召し上がってください。私の家なので、自由に使ってください」

　しばらく食事をしていると、乙姫様から、

「太郎さんは、もう成人なのだから、カジノに行って来たらどう？」

　と提案された。

「龍宮城にカジノがあるんだ‼」

「ここを出て、橋まで戻ると近くにカジノって書かれた柱があるわ。それと、私の NFT アイテムをあげるので、これを売ってカジノの軍資金にしたらいいわ」

　乙姫様が僕の貝型のタブレットに右手をかざすと、「チャリ〜〜〜ン」と鳴って光った。

「さあ、行ってらっしゃい」

　乙姫様から言われたとおり、部屋を出て橋まで戻ると、赤い柱に「カジノ、呪文を唱えよ」という看板があった。

「太郎、例の呪文を唱えてみよ」

　カメから言われたので、右手を上げて、呪文を唱えた。

「テトラ！」

　気がつくと、僕とカメは部屋にいた。目の前には「受付」の
カウンターと着物の男性が立っている。奥には、たくさんのス
ロットマシンが並んでいる。

　着物の男性がしゃべった。

「『ブリッジカジノ』へようこそ！　最低10ETH必要だな。
兄ちゃん持ってるかい？」

「そんな大金持ってないよ」

「軍資金、手に入れたらまたここに来な！」

「なんか、やなやつだなあ」

●「OpenSea」で転売する

「太郎、乙姫様がNFTアイテムを貝型のタブレットに入れて
くれているはずじゃ。タブレットを開いてOpenSeaを立ち上
げて、MetaMaskに接続するんじゃ」

　カメに言われたとおり、貝型タブレットを開き、OpenSea
をMetaMaskに接続した。

「カメさん、MetaMaskにハートの結び目の『草履』があるよ。
何これ？」

「きっと乙姫様の草履じゃ。これをOpenSeaに出品して軍資
金をつくるんじゃ」

　草履を選択して、マークをタップすると、OpenSeaに出品

された。すぐさま『アイテム売却』というメッセージが届き、MetaMask に 10ETH が入った。

「さすが、乙姫様（笑）」

「乙姫様も喜んでいるじゃろうな」

「何で？」

「NFT はスマートコントラクトにより、様々な付加機能を追加可能じゃが、代表的なものとしては、二次流通（転売）時のロイヤリティの設定じゃ。

　つまり、お主が乙姫様からもらった草履を転売したことで、NFT の作者である乙姫様に転売時の価格の一定割合が支払われるのじゃ。しかも、転売されるたびにずっとじゃ」

「それはすごいね!!　これって、今まではたとえば絵画などの作品を誰かに安値で売って、その後作品の価値が上がっても、作者に還元されなかったよね。

　NFT では、作品の価値が上がれば上がるほど、転売されるごとに作者に多くのロイヤリティが支払われるということだよね？」

「そうじゃ。これが NFT の凄さじゃ。他にも、NFT には色々な機能があるので、また今度教えるぞい」

【補足説明】

　OpenSea の転売手続きは、イメージしやすいように簡略化して説明。

●「ステーブルコイン」を学ぶ

「10ETH つくってきました‼」

　僕は先ほどの受付の男性に声をかけた。

「そうか、兄ちゃん、スロットで遊ぶには USDT（テザー）という『ステーブルコイン』※が必要だ。DEX（デックス：分散型取引所）で、10ETH を USDT に交換してきな」

【※解説】

　ステーブルコインとは、法定通貨と連動するように設計された暗号資産である。USDT は世界で最初に生まれたステーブルコインであり、米ドルの価格と連動するように設計されている。

「カメさん、いろいろ分からないので聞いてもいい？　まず、何でステーブルコインに交換しなきゃいけないの？」

「ETH のような暗号資産は価格変動が大きく、実用に不向きなんじゃ。その点、USDT 等のステーブルコインは、法定通貨と連動しているので、実用的で決済にも使える安定した暗号資産じゃ。

　カジノも企業じゃから、お客から受け取ったお金の価格変動

が大きいと経営も安定しなくて都合が悪いんじゃ」

「なるほど！」

「ちなみに、2023.6.1 に日本国内で、法定通貨を裏付けとするステーブルコインを発行可能とする『改正資金決済法』が施行されたんじゃ。

発行者は銀行等に限定され、大手銀行もステーブルコインの発行を目指しているようじゃ」

「それって、あまり話題になってないけど、大ニュースだね‼」

「日本のデジタル庁が Web3 研修会を設置する等、Web3 政策推進を行っているので、今後、Web3 推進に向けて法整備も加速していくじゃろう」

●「DeFi、DEX、CEX」を学ぶ

「次の質問だけど、DEX って何？」

「DEX の前に、まず DeFi（ディーファイ）を説明する必要がある。

DeFi とは、DApps（アプリの総称）の1つで、スマートコントラクトにより運営される『分散型金融』のことじゃ。ここでは、管理者なくお金を貸し借りする等の金融取引ができるんじゃ。

そして、DeFi の代表的なものが、『DEX（分散型取引所）』

じゃ。DEXでは、仲介者なくユーザー同士が暗号資産などを直接取引できるんじゃ」

「DEXは、今までの取引所とどう違うの？」

「いい質問じゃ。ある特定の企業が運営する暗号資産取引所のことを『CEX（中央集権取引所）』と言うんじゃが、DEXはCEXと違って仲介者を介さないため、自分でセキュリティ管理ができることと、手数料などの中間費用を抑えることができるんじゃ。ちなみにステーブルコインは、DeFiでも需要があって人気じゃ」

「なるほど。整理すると、DeFiとは、DAppsの1つで、管理者なくお金を貸し借りする等の金融取引ができる分散型金融のこと。そして、DeFiの代表的なものがDEX。

　DEXでは、仲介者なくユーザー同士が暗号資産などを直接取引できるので、CEXよりも手数料などの中間費用を抑えることができる。

　ステーブルコインとは、法定通貨と連動した実用的で安定した暗号資産のことで、DeFiでも需要があって人気。代表的なものがUSDT（テザー）」

「そのとおりじゃ。DEXの代表的なアプリに、イーサリアムなどのブロックチェーンを利用した『Uniswap（ユニスワップ）』がある。

　それでは、早速Uniswapを使って、10ETHをUSDTに交換

するぞい。

　タブレットを開いて、きつねのマークの隣のユニコーンの
マークをタップして、立ち上がったらいつもどおり MetaMask
に接続じゃ」

　カメに言われたとおり、タブレットを開いて、ユニコーンの
マークをタップすると、画面に Uniswap というアプリが立ち
上がった。そして、Uniswap を MetaMask に接続した。
「ETH を選択して、スワップ（交換）したい暗号資産『USDT』
を選択し、スワップマークをタップするんじゃ」
　スワップマークをタップすると、10ETH 分の 17,000USDT
と交換することができたので、僕は再び受付の男性に声をかけ
た。

●スロット大当たり‼

「10ETH 分の USDT と交換してきました！」
「そうか、兄ちゃん、いよいよスロットで遊べるな‼　スロッ
トマシンの前に立って手をかざしてみな」
　受付の男性から言われた通り、奥のスロットマシンまで歩き、
スロットマシンの前で手をかざすと、貝型のタブレットが一瞬
光り、スロットの上部のディスプレイに「BET 17,000USDT」

と表示された。

「えっ⁉　これって僕が持っている USDT 全部をかけたってこと？」

「そのようじゃのう（汗）」

　目の前のスロットが突然回り始めた。高速でスロットのボタンを人差し指で押すと、見事 3 つの絵が揃った！　次の瞬間、スロット上部のディスプレイに「Jackpot（ジャックポット）」と表示された。

「Jackpot ってどういう意味？」

「大当たりじゃ‼」

　音楽が鳴って、スロットの上部のディスプレイの数字が上昇し始めた。そして、ディスプレイに「GET 1,700,000USDT」と表示された。と同時にタブレットが一瞬光った。

「ちょうど 100 倍じゃ。タブレットに 1,700,000USDT が入金されたぞい。もう一勝負するか、やめるかじゃが、どうする？」

　すると、僕の頭の中にあるメッセージが流れ込んできた。なぜかその言葉に突き動かされて、カメに話していた。

「カメさん、ここでやめておくよ、どうしても欲しいアイテムがあるんだ」

「なんじゃ、なんじゃ？　お主がそんなことを言うなんて珍しいのう」

　僕は、タブレットを開け、まず Uniswap を立ち上

げ、MetaMask に 入 金 さ れ た 1,700,000USDT の う ち、1,600,000USDT を 922ETH に交換した。

　そして、次に OpenSea を立ち上げ、「指輪」と検索し900ETH と表記された指輪の画像をタップすると、「購入」と表示された。

　すると目の前に光のリングが現れ、その中に手を入れると、ピンクダイヤモンドが散りばめられ、眩いばかりの光を放つ指輪が手に入った。

「これで今から乙姫様にプロポーズしに行くんだ!!!」

「えっ、太郎、早すぎないか!?」

「カメさん、ビビッと来たんだよ!!!　イェ〜イ!!」

「太郎は、大丈夫じゃろうか?」

●「DeFi」で稼ぐ方法を学ぶ

「太郎、乙姫様にプロポーズするのはいいが、結婚したあとの生活のことも考えないといかんぞ。残りの USDT はいくらじゃ」

「100,000USDT あるよ。さっき、カメさんがステーブルコインは実用的で DeFi でも人気があるって言っていたので」

「意外と堅実派じゃのう(笑)。では、それを使って DeFi で運用するんじゃ」

「運用するって、どうやって？」

「DeFi での運用方法は、『イールドファーミング』『流動性マイニング』『レンディング』『ステーキング』の４種類がある。

　まず、イールドファーミングは、取引所などに自分が持っている暗号資産を預けることで、流動性を確保することに協力する代わりに「金利」などを受け取る仕組みじゃ。

　そして、流動性マイニングとは、イールドファーミングの一種で、暗号資産を DEX に貸し出すと、取引所の独自の『トークン』※をもらうことができる仕組みじゃ。

　イールドファーミングと流動性マイニングの違いは、もらえるものが金利なのか独自トークンなのかの違いじゃ」

【※解説】

　トークンとは、企業や団体・個人などにより既存のブロックチェーン上に新たに発行される暗号資産のことである。発行者や管理者が存在する意味で暗号資産と区別される。代表例として、ステーブルコイン、ガバナンストークン（投票権付トークン）、NFT などがある。

「よく分からないけど、取引所などに流動性を提供するかわりに金利や独自トークンがもらえるんだね。続けて」

「レンディングは、『定期預金』のようなもので、暗号資産を一定期間貸し出すことで利息が上乗せされて戻ってくる仕組み

じゃ。

　そして、最後のステーキングは、ETHなどの特定の暗号資産を保有して、ブロックチェーンのネットワークに参加することで報酬を得る仕組みじゃ。どれで運用したい？」

「レンディング以外イメージできないので、レンディングでお願いします（汗）」

「レンディングじゃな（笑）」

●レンディングプラットフォーム
   「Compound」を学ぶ

「DeFiには色々種類があって、先ほどのUniswapの他に、お金を貸し借りする「レンディングプラットフォーム」がある。その代表的なアプリが『Compound（コンパウンド）』じゃ。

　法定通貨を預けたとしても年利0.001％ほどしかないが、Compoundであればその何倍もの利息収入を得ることができるんじゃ。

　また、Compoundで取引をすると、『COMP（コンプ）』というガバナンストークンが配布されるので、それを貸し出してさらに利息収入を得ることも可能じゃ」

「錬金術みたいだね（汗）」

「では、早速Compoundを使って、レンディング（お金を貸

す）するぞい。タブレットを開いて、ユニコーンのマークの隣の緑のマークをタップして、立ち上がったら、いつもどおりMetaMaskに接続じゃ」

　タブレットを開いて、緑のマークをタップすると画面にCompoundというアプリが立ち上がった。そして、CompoundをMetaMaskに接続した。

「USDTを選択して金額を入力し、『SUPPLY（供給）』ボタンをタップするんじゃ」

　カメから言われた通り操作すると、100,000USDTが貸し出された。

「貸出金利は年利2.3%もあるんだね。何かデメリットとかあるの？」

「Compoundを含むDeFiは、現時点で日本国内では認可されていないサービスのため、消費者保護の仕組みなどがなく、利用にはリスクが伴うので注意が必要じゃ」

「なるほど」

●乙姫様にプロポーズ

《ステージ4クリア！》

　突然、頭の上から女性の声が聞こえた。

　気がつくと、先ほどの「カジノ、呪文を唱えよ」と書かれた赤い柱の前にいた。来た道を戻って、再び金箔の襖を開けると、乙姫様が座っていた。

「太郎さん、（プロポーズを）待っていましたよ」

　僕は、次の言葉を乙姫様に投げかけていた‼

「乙姫様、あなたと出会った瞬間から、僕はあなたに一目ぼれしました。どうか僕と結婚してください‼」

　僕はひざまずいて、先ほど購入したピンクダイヤモンドが散りばめられ、眩いばかりの光を放つ指輪を差し出した。

「嬉しい。太郎さん、この左手の薬指にはめてください」

「えっ、ほんとにいいんですか⁉ (@_@)」

　と、夢のような展開に戸惑いながら、指輪を乙姫様の薬指にはめた瞬間、また頭の上から女性の声が聞こえた。

《スマートコントラクト「婚約」「女難」が同時発動しました》

　すると突然、乙姫様が光り始めた。そして、乙姫様から分離して一人の女性が生み出されていくではないか‼

　分離した女性が語りかけてきた。

「太郎さん、久しぶりね〜♪」

to be continued

【ステージ４：学習のまとめ】

● 「NFT（唯一無二性を持つデジタル資産）」は、まったく
同一のものは存在せず、他のもので代替できない。それゆえ
に希少性がある。

NFTは画像データの管理方法によって、次の2つに分かれて
いる。

　　フルオンチェーンNFT　　▶画像データをブロックチェーン
　　　　　　　　　　　　　　　　上で管理するNFT

　　オフチェーンNFT　　　　▶画像データをサーバーのデータ
　　　　　　　　　　　　　　　　ベースで管理しているNFT ☜
　　　　　　　　　　　　　　　ほとんどこれ

また、NFTはスマートコントラクトにより様々な付加機能
を追加可能で、代表的なものとしては、二次流通（転売）
時のロイヤリティを設定可能である。NFTが売れる度に、
NFTの作者に転売時の価格の一定割合がロイヤリティとし
て支払われる。

● 「スマートコントラクト」とは、「事前に決めた契約を自動
で実行するプログラム」のことである。

たとえば、「自販機にお金を入れたらジュースが出てくる」
ように、事前に決めた契約条件に基づいて、自動で実行され
る仕組みをスマートコントラクトと言う。

この管理者なく契約がスムーズに実行される仕組みが、

Web3の根幹となっている。

・お金を入れてボタンを押す＝契約条件
・ジュースが出る　　　　　＝契約の自動実行
　　　　　　　　　　　　　⇒この仕組みがスマートコント
　　　　　　　　　　　　　　ラクト。管理者なく契約がス
　　　　　　　　　　　　　　ムーズに実行される

【スマートコントラクトとブロックチェーンの関係】
スマートコントラクトが取引の処理を行い、ブロックチェーン
にて取引データの記録を行う。

● 「Web3の基盤」は、スマートコントラクト＆ブロック
　チェーン。そして、スマートコントラクト機能を使って開発
　されたDAppsがWeb3の世界をつくっている。
　ちなみに、イーサリアム上でスマートコントラクトを動かす
　際には、「ガス代」と呼ばれる手数料が必要なので、何かを
　購入する際は、ガス代も考慮する必要がある。

● 「ステーブルコイン」とは、法定通貨と連動するように設計
　された暗号資産である。USDT（テザー）は世界で最初に
　生まれたステーブルコインであり、米ドルの価格と連動する
　ように設計されている。
　ETHなどの暗号資産は価格変動が大きく、実用に不向きで
　あるが、ステーブルコインは、法定通貨と連動しているの

で、実用的で決済にも使える安定した暗号資産である。

● 「DeFi」とは、DAppsの1つで、スマートコントラクトにより、管理者なくお金を貸し借りする等の金融取引ができる分散型金融のことである。DeFiには、「DEX」（デックス/分散型取引所）やレンディングプラットホームなどがある。

DEXでは仲介者なく、ユーザー同士が暗号資産などを直接取引できるので、「CEX」（中央集権取引所）よりも手数料などの中間費用を抑えることができる。

【DeFiで稼ぐ4つの方法】

◎イールドファーミング

取引所などに自分が持っている暗号資産を預けることで、流動性を確保することに協力する代わりに、金利などを受け取る仕組み。

◎流動性マイニング

イールドファーミングの一種で、暗号資産をDEXに貸し出すと、取引所の「独自トークン」※をもらうことができる仕組み。

イールドファーミングと流動性マイニングの違いは、もらえるものが「金利」なのか「独自トークン」なのかの違いである。

※独自トークンとは、企業や団体・個人などにより既存のブロックチェーン上に新たに発行される暗号資産のことである。発行者や管理者が存在する意味で暗号資産と区別される。代表例として、ステーブルコイン、ガバナンストークン（投票権付トークン）、NFTなどがある。

◎レンディング

定期預金のようなもので、暗号資産を一定期間貸し出すことで利息が上乗せされて戻ってくる仕組み。

◎ステーキング

ETHなどの特定の暗号資産を保有して、ブロックチェーンのネットワークに参加することで報酬を得る仕組み。

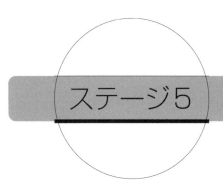

ステージ5

乙姫様と結婚

DAO、SBT を学び、
Web3 の全体像を確認する

●乙姫様と大喧嘩！　家を追い出される

「えっ!!　キャサリン!?」

「私、嫉妬して出てきちゃったの〜♪」

「あれ、キャサリンって乙姫様じゃなかったの？」

「そうだったけど、今は違うのよ〜♪」

「どうやら、嫉妬のパワーが、別人格のキャサリンを生み出してしまったようじゃのう。やれやれ」

「私、太郎さんのこと、とっても気に入っているの♥」

「でも僕は、乙姫様と婚約したばかりだよ (^ ▽ ^;)」

「そんなことわかっているわ。思うのは私の勝手でしょ。ね、乙姫様♪」

「ちょっと前まで私だったと思えない図々しさね。太郎さんの私への想いはびくともしないわ。勝手にやってください(ムッ)」

「じゃあ、今度から食事もご一緒するわ♪」

「えっ!?　もう〜〜〜!!　まあいいわ、どうせすぐ諦めるでしょ」

　その日から、僕と乙姫様とカメとキャサリンの４人の奇妙な共同生活が始まった。

　ある日のこと、キャサリンと二人で金箔の襖の部屋で食事をとっていた。すると、キャサリンがにじり寄ってきて、僕の革

ジャンを人差し指でなでながら、

「ねえ、太郎さん。その革ジャン素敵ね♪♥」

と、上目遣いに話しかけてきた。

「そうかな〜（でへへ）」

「私にも何か買って〜♪」

「うん、いいよ〜（でへへ）」

僕は、鼻の下が伸びているのに気が付かずに答えた。

すると、乙姫様の視線を背中で感じたので、振り向くと、鬼の形相の乙姫様が立っているではないか‼

「ど、どうしたの？？　乙姫様‼」

「もう、太郎さんの浮気者〜‼　ダイキライ‼　二人とも出てって‼」

「わかったよ。なんだよ。そんな言い方ないだろう」

僕はムッとして、部屋を出た。

「乙姫様なんか、ほっとけばいいのよ〜」

「うるさい。キャサリンのせいだ‼」

「八つ当たりしないでよ♪」

「ちょっと一人にさせてくれ‼」

僕は赤い橋を渡って、扉をくぐって家の外に出た。龍宮城の中を一人でうろうろしていると、煉瓦づくりの建物の前にたどりついたが、扉は閉ざされている。扉の右の壁には張り紙が貼られている。

《新たな出会いのかたち。本日、「メタバース婚活」開催！》

　これは何かと考えていると、いつの間にか隣にカメがいた。

「やれやれ、これも人生経験じゃ。太郎、例の呪文を唱えてみよ」

　カメから言われたので、右手を上げて、呪文を唱えた。

「テトラ！」

　すると、目の前の扉がゆっくりと開いた。

●「DAO」を学ぶ

　中に入ると、目の前には「受付」のカウンターと着物の女性が立っている。部屋の奥には、10名がけの長テーブルに、向かい合って奥から男性3人に、女性4人と、手前に一際目立つ天女姿の女性1名が座っている。その奥には司会らしき十二単の女性が立っている。

「まるで婚活パーティーじゃん」

　と思っていると、受付の女性が僕に話しかけてきた。

「ようこそ、メタバース婚活へ‼　さあ、空いている席に座ってください」

　カメは、すたすたと奥から詰めて座ったので、僕は、手前の天女姿の女性の目の前に座った。

「えっ⁉　カメさんも参加するの？」

「太郎が心細いと思ってのう（￣—￣）ニヤリ」

　いつになく爽やか笑顔でカメが答えた。

　すると、司会の女性がしゃべった。

「本日は、美男美女にお集まりいただき、ありがとうございます。私は『婚活DAO（ダオ）』代表のウツノミヤです。

　当DAOは10名で最近立ち上げたばかりでして、中央集権のトップダウンから脱して、みんなで意思決定するフラットな組織を目指しています。

　本日は、皆様に外見や条件にこだわらず、価値観や内面を知って、お互いの理解を深めていただければと思います」

　ウツノミヤさんが、右手をかざすと、奥から着物姿の女性が現れて、テーブルのコップにウーロン茶が注がれた。

「カメさん、いろいろ質問があるんだけど、まずDAOって何？」

「DAOとはDApss（アプリの総称）の１つで、スマートコントラクトで運営される分散型自律組織じゃ。

　従来のトップダウンの組織と違って代表者が存在せず、参加者同士で意思決定されるんじゃ。この意思決定の仕組みを『ガバナンス』と言う。

　ちなみに意思決定に関わるには『ガバナンストークン（投票権付トークン）』を保有する必要があるんじゃ」

「でも、ウツノミヤさん中心の組織なんじゃね？」

「わしにもそう見えるのう。だからウツノミヤさんも、フラットな組織を『目指している』と言っておるじゃろ？

　考えてみるんじゃ。複雑な技術やリーダーシップが必要な組織が、最初から引っ張っていく管理者がいなかったらどうなる？」

「きっと、ド素人の集団になるかなぁ」

　僕は、ウツノミヤさんの合図で素早く動くスタッフを見ながら答えた。

「そのとおりじゃ。ただ、DAOの設立当初は中央集権寄りでも、体制が整えば、みんなで意思決定するDAOに近づいていくと思うんじゃ。

　ただし、例外があって、チャリティに近い、目的がシンプルな場合なら、最初から民主主義に近い形ができるかもしれぬ。

　ちなみに、ブロックチェーンの外で様々な利害関係者で議論される、中央集権寄りのガバナンスのことを『オフチェーンガバナンス』と言って、ビットコインやイーサリアムのDAOもこっちじゃ。

　それに対して、意思決定の投票がブロックチェーン上で行われる、非中央集権のガバナンスを『オンチェーンガバナンス』と言って、こちらが本来目指すべきDAOじゃ」

【補足説明】

　ガバナンスの仕組みは簡略化して説明。

「じゃあ、DAO って何のメリットがあるの？」

「DAO のメリットは、むしろブロックチェーン＆スマートコ
ントラクトによる『貢献度と報酬の明確化』じゃ」

「と、言いますと？」

「従来のトップダウン型の組織では、必ずしも貢献度に見合っ
た報酬が分配されているかと言えば疑問じゃったが、DAO で
は貢献度が可視化され、予め決められたルールに則り報酬が自
動分配される仕組みを構築することが可能なんじゃ」

「なるほど。でも貢献度を計測したり、DAO の人数が増えて
くると運営するのって大変そうだね」

「そこで『AI』じゃ。最近、日本の大学でも、『GPT-4』※を
DAO の意思決定プロセスに導入することで、運営コストを抑
える実証実験を開始すると発表されんたんじゃ」

【※解説】

　GPT-4 とは、2023 年に OpenAI が開発および発表した「大
規模言語モデル」であり、高度な推理機能を持っているため、
人間と変わらないような流暢な言語出力が可能である。

「えっと、整理すると、DAO とは DApss の１つで、スマー
トコントラクトで運営される分散型自律組織のことで、代表者
が存在せず、参加者同士で意思決定される。

　意思決定の仕組みをガバナンスと言って、意思決定に関わるにはガバナンストークンを保有する必要がある。

　そして、DAO では貢献度が可視化され、予め決められたルールに則り報酬が自動分配される仕組みを構築することが可能。

　ただ、DAO の形態によっては、最初から意思決定の分散は難しいので、ステージに合わせて意思決定の分散化を行っていく。つまり、現在は本来の DAO を目指している段階と言える。そして、DAO の発展の鍵はＡＩが握っている」

「そのとおりじゃ。他にも DAO のメリットはあるが今度伝えるぞい」

●アバターがもたらすメリット

「次の質問だけど、『メタバース婚活』って何？」

「メタバース婚活とは、アバター同士で行われる内面重視の婚活じゃ。従来の婚活パーティーでは会場内で１番きれいな人、条件がいい人に集中してしまう。

　メタバース婚活の場合は、容姿や条件にとらわれず、価値観や内面を重視することで、カップル率は８割を超えるそうじゃ。最近、メタバース婚活を取り入れる自治体も増えてきておる」

「それはびっくりだね!!」

「アバターなら対面が苦手でもリラックスでき、コミュニケー

ションの敷居が低く、積極的になる利点を生かして、**メタバー
スは就労支援や学習塾にも取り入れられておる**」
「確かに！ アバターだと違う自分になったようで積極的にな
りそうだね！」

　ふと、顔を上げると、目の前の天女姿の女性が微笑んでいる。
「私の名前はキミドリ。あなたのお名前は？」
「お、お綺麗ですね。僕の名前は浦島太郎です」
「素敵なお名前ね」
　キミドリが微笑んだ。
「おい、太郎。ひょっとして外見で判断してる？」
「違うよ、カメさん。えっと、キミドリさん、趣味は何ですか？」
「私の趣味は舞よ。太郎さんは？」
「僕の趣味は魚釣り。それから百人一首かな」
「素敵ね。太郎さん、この後私の家に来る？」
「えっ、どうしよう (^^;」
　と思って、隣のカメを見ると、カメは鼻の下を伸ばして女性
としゃべっていた。

●婚活DAOの修了証

　そのとき、僕の頭の中に、笑顔がまぶしい乙姫様の顔が強烈

に浮かんだ‼

「僕はいったい何をしていたんだ‼」

「太郎さん、どうしますか？」

「あ、いや、大丈夫です。僕は失礼します‼」

「急にどうしたの、太郎さん？」

「とにかく僕、帰ります」

　といって、鼻の下を伸ばしているカメを引っ張って、出口まで歩いて行った。

　すると、キミドリが出口まで追いかけてきた。

「太郎さん、覚えている？　私、じつは乙姫様の家であなたに歓迎の舞を踊った天女の一人よ。そして、私も婚活DAOの一員よ」

「えー⁉　それって詐欺じゃん (@_@)」

「危うく乙姫様にバレるところじゃったのう (￣－￣)ﾆﾔﾘ」

　僕は額から汗が流れるのを感じた。

「ところで、なぜ、急に帰ろうと思ったの？」

「僕、思い出したんです。乙姫様の外見に一目ぼれしたと思っていたけど、結婚したいと思ったのは、気品あるたたずまいや時折見せる笑顔はもちろんだけど、一生懸命僕にこの世界のことを教えてくれる真面目な心だったって。僕にはもったいないくらいの素敵な女性なんです。

　キミドリさんには悪いけど、僕にはやはり乙姫様しかないいって思ったんだ」

　すると、頭の上から女性の声が聞こえた。

《「女難」が解除されました》

「立派よ、太郎さん‼︎　真の愛に目覚めたあなたに、婚活
DAOの修了証として、これをあげるわ」
　と言って、キミドリは、菱形の「ピンバッチ」を僕に差し出
した。
「これ、何？」
「革ジャンにつけたら説明するわ」
　僕は、キミドリから菱形のピンバッチを受け取り、革ジャン
の左側の襟につけた。
　すると、また頭の上から女性の声が聞こえた。

《修了証がウォレットに紐づけられました》

　同時に貝型のタブレットが光った。

●「SBT、Soul」を学ぶ

「太郎さん、そのピンバッチは『SBT（ソウルバウンドトーク
ン）』と呼ばれるもので、婚活の学びを修了した証です。そして、

この履歴は、あなたのウォレットに紐づけられました」

「カメさん、何のこと言ってるか分からないんだけど、SBTって何？」

「SBT は今後、Web3 の中核技術になるかもしれないのでよく聞くんじゃ。

　SBT とは、『譲渡できない NFT』のことで、運転免許証や資格をはじめとする経歴や実績、履歴などの不変の記録に活用できるとして、最近、急速に活用が進んでいる。

　そして、SBT が入ったウォレットを『Soul（ソウル）』と言うんじゃ」

「譲渡できない NFT ってどういうこと？」

「SBT も NFT の一種なのじゃが、NFT が、二次流通での売買や譲渡などが可能なであることに対して、SBT は譲渡が不可能なんじゃ。

　この性質を利用して、『デジタル ID（本人確認、学歴・職務経歴書、信用履歴・医療記録など）』として広く利用することや、商品の引き換え券やイベントのチケットなどの転売防止策にも活用できるんじゃ。

　実際日本でも、大学の学習履歴証明書が SBT で発行されたり、SBT・NFT を活用した『クラウドファンディング』※で、1 分間で 2,000 万円の資金調達するという大成功を収めた事例もある」

【解説】

　クラウドファンディングとは、インターネット上でやりたい
ことを発信し、賛同してくれた人から広く資金を集める仕組み。

「僕が知らない間にどんどん新しいのが出てくるね（汗）。

　でも個人情報が不安なんだけど、SBT って一度公開された
ら非公開にできないの？」

「いい質問じゃ。SBT の所有者は、SBT に含まれるデータに
誰がアクセスできるのかを制御でき、必要に応じてそのアクセ
スを取り消すこともできるんじゃ」

「それなら、安心だね。整理すると、SBT は譲渡できない
NFT で、デジタル ID（本人確認、学歴・職務経歴書、信用履歴・
医療記録など）として広く利用することや、商品の引き換え券
やイベントのチケットなどの転売防止策にも活用できる。デー
タのアクセスも個人で制御できる。そして、SBT が入ったウォ
レットを Soul と言う」

「そのとおりじゃ」

「太郎さん、早く行かなくていいの？　乙姫様が待ってるわ」

「そうだね。乙姫様に会って、僕の気持ちを伝えてくる」

　僕とカメはキミドリに別れを告げて、煉瓦づくりの家を出た。

●乙姫様と結婚

　僕ははやる気持ちを抑えて、乙姫様の家の扉をくぐり、赤い橋を渡って、金箔の襖を開けて部屋に入ると、そこにはキャサリンと乙姫様がいた。
「あら、太郎さん、遅かったじゃない。帰ってきたのね♪♥」
　僕はキャサリンの言葉を遮り、乙姫様に向かって叫んだ。
「乙姫様、さっきはごめんなさい。僕にはあなたしかいません‼ 結婚してください‼」
　すると、頭の上から女性の声が聞こえた。

《スマートコントラクト「結婚契約」発動》

　すると、革ジャンの左襟につけている菱形のピンバッチと、乙姫様の薬指の婚約指輪が反応して、婚約指輪がシンプルな結婚指輪に変化した。
　そして、キャサリンが一瞬にして消え、乙姫様の着物が白無垢姿に変化した。僕も紋付袴姿になっている。

「太郎さん、婚約期間が終わったわ。私たち結婚するのよ、うれしい‼」

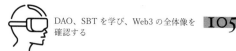
「えっ、うれしいけど、展開早くない？」

「お主が真実の愛に気づいたので、スマートコントラクトに
よって結婚契約が自動実行されたのじゃ。そして、その菱形の
ピンバッチは結婚指輪の『引き換え券（SBT の効果）』だった
んじゃ」

「太郎さん、約束してください。この世界には、様々な社会課
題が存在します。メタバース、Web3、AI などの新しい力を使っ
て、もっと素晴らしい世界に変えていきましょう！」

「うん、わかったよ。乙姫様！」

「では、誓いのキスじゃな」

　カメもいつの間にか袴姿になっている。

　気がつくと、キミドリをはじめ、多くの天女たちが祝福して
くれていた。

●メタバース・Web3・XRの
　関係性と全体像を再確認する

　あれからは僕と乙姫様は楽しく暮らしていたが、最近乙姫様
の機嫌が悪い。

「太郎さん、私との約束を覚えている？」

「覚えているよ。2人で世界を変えるんでしょ？」

「そうだけど、あなたは世界を変えるために何か学んでいる
の？　私が質問しても上の空だし、前みたいに覇気が感じられ
ないわ。

　カメさん、太郎さんに『最終試験』をお願い‼」

「太郎、こっちに来るんじゃ」

「あっ、待って太郎さん。もし困ったことがあったら、この『玉
手箱』を開けてくださいね」

「あれ⁉　どこかで見たことのあるシーンだな。でも何かタイ
ミング早くない？ (^^; ヤバ」

　と思いながら、乙姫様から金色の玉手箱を受け取った。

　僕は、カメの案内で龍宮城の離れに連れていかれた。離れの
中に入ると険しい形相の巨大な龍の像があった。

「太郎、ここは『龍の部屋』じゃ。今から、今まで学んできた

ことの『最終試験』を始める。いいな？」

「わかった」

「まず、**ブロックチェーン**とは、取引履歴（ブロック）を過去から１本の鎖をつなげるように記録し、このブロックを複数連結したもの。そして、すべてのブロックをみんなで監視するため、データの改ざんが困難じゃったな」

「うん」

「ブロックチェーンは、取引データの保存場所によって、２つに分けられるんじゃ。ネット上のブロックチェーンに直接記録されることを『**オンチェーン**』、サービス提供者が管理するサーバーのデータベースに記録されることを『**オフチェーン**』と言うんじゃ」

「ブロックチェーンなのに、オフチェーンじゃ意味がないじゃん」

「わしが覚えてほしいのは概念じゃ。NFTにも**オフチェーンNFT**と**フルオンチェーンNFT**があって、DAOのガバナンスにも**オンチェーン**と**オフチェーン**があったじゃろ。共通点は何じゃ？」

「あっ、オンチェーンがブロックチェーン上で何らかの処理が行われることで、オフチェーンがブロックチェーンの外で処理が行われるってこと？」

「そのとおりじゃ。なぜこれが重要かというと、**ブロックチェー**

ンは Web3 のすべてに影響する基盤なので、これが分からな
いと応用が効かないからじゃ。

　では、スマートコントラクトとは何じゃ？」
「スマートコントラクトとは、事前に決めた契約を自動で実行
するプログラムのことで、この管理者なく契約がスムーズに実
行される仕組みが、Web3 の根幹となっている。

　スマートコントラクトが取引の処理を行い、ブロックチェー
ンにて取引データの記録を行うんだったよね？」

「正解じゃ。では、DApps とは何じゃ？」
「DApps は、ブロックチェーン＆スマートコントラクトを
基盤につくられる、ブロックチェーン上のアプリの総称で、
DeFi、OpenSea などの NFT マーケットプレイス、DAO な
ども DApps の 1 つなんでしょ」

「そのとおりじゃ。では、暗号資産とトークンの違いは何
じゃ？」
「えっと、暗号資産とは、独自のブロックチェーンを持つ管理
者不在の通貨のような機能を持つ電子データのこと。

　トークンとは、企業や団体・個人などにより既存のブロック
チェーン上に新たに発行される暗号資産のことで、発行者や管
理者が存在する意味で暗号資産と区別される。代表例として、
ステーブルコイン、ガバナンストークン、NFT（SBT）など

がある」

「そのとおりじゃ。では、**Web3** とは何じゃ？」

「Web3 とは次世代のウェブで、『分散型ウェブ』とも言われている。最大の特徴は、管理者なくユーザー間での価値を交換することが可能」

「では、その『管理者なくユーザー間での価値を交換することを可能』にしているものは何じゃ？」

「スマートコントラクト＆ブロックチェーン‼　そして、スマートコントラクト機能を使って開発された DApps が Web3 の世界をつくっている！」

「では、上記のことを実現できるブロックチェーンの代表例は何じゃ？」

「**イーサリアム‼**」

「素晴らしい。Web3 は完璧じゃ。では、**メタバース**とは何じゃ？」

「メタバースとは、オンラインで繋がる仮想空間」

「では、**メタバース**と **Web3** の関係は？」

「メタバースと Web3 は違う概念だけど、組み合わせることはできる、だよね？」

「そのとおりじゃ。**XR** とは何じゃ？」

「XR とは、VR、AR、MR 等の総称で、現実世界と仮想空間を

繋ぐ装置（デバイス）！」

「正解！　では、最後の質問じゃ。Web3 と XR の関係は何
じゃ？」
「えっ!?　そんなの習ってないじゃん。ずるいよカメさん」
　僕が頭を抱え、考え込んでいると、目の前の龍の目が怪しく
光り出した。
「えっ！　ちょっと待って」
　閉じていた龍の口が開き始めた。今にも火を噴きそうだ。
「早く答えるんじゃ。太郎!!」
「分かったよ。**XR と Web3 は直接は関係ない!!**」
　龍の口が止まった。
「素晴らしい!!　正解じゃ。これでお主はメタバース・Web3・
XR の関係性と全体像を学んだことになる。試験に合格じゃ」
「カメさん、ありがとう！　これで乙姫様も喜んでくれるよ
ね？」

●「お前の母親どうしてる？」

　突然、頭の上から女性の声が聞こえた。

《ステージ５クリア！》

　すると突然、カメが「お前の母親どうしてる？」と聞いてきた。
「えっ、母さん!?　すっかり忘れていた。
　そういえば、僕の本名は鈴木太郎で、母さんを現実世界に残してきたんだっけ??　ああ、頭が混乱してきたぞ!!」
　そう思った瞬間、僕は意識を失った……。

to be continued

【ステージ 5：学習のまとめ】

メタバース、XR、Web3 の関係性と全体像は次のとおり。

正式名称	意味	特徴
メタバース	仮想空間	▶ オンラインで繋がる相互コミュニケーションの場
Web3	次世代のウェブ	▶ 仲介者なくユーザー間で価値を交換できる
XR	装置（デバイス）	▶ 仮想空間と現実世界との接点（VR ゴーグル等）

【Web3 概念図】

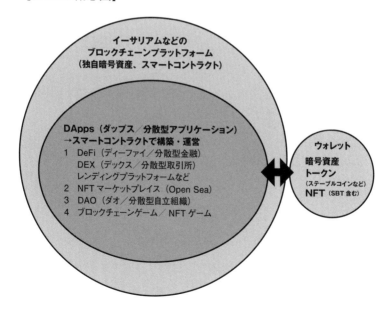

・メタバース（仮想空間）とは異なる概念であるが、Web3と組み合わせることはできる。

・XR（クロスリアリティ／VR、AR、MR等の総称）とは、現実世界と仮想空間を繋ぐ装置（デバイス）であり、Web3とは直接関係ない。筆者が知る限り、現在のところ、XRとWeb3の組み合わせ事例はない。

※VRによって入り込んだメタバースの中で、AR、MRを使用することはできないが、本書では物語の進行上、許容している。

● 「ブロックチェーン」とは、みんなで管理するネットワークである。「取引履歴（ブロック）」を過去から1本の鎖のように繋げるように記録され、このブロックが複数連結したものをブロックチェーンと言う。

すべての取引履歴をみんなで監視するため、データの破壊・改ざんが極めて難しいと言われている。

ブロックチェーンは取引データの保存場所によって、次の2つに分けられる。

オンチェーン ▶ネット上のブロックチェーンに直接記録される。非中央集権。

オフチェーン ▶サービス提供者が管理するサーバー（パソコン）のデータベースに書き込まれる。つまり中央集権。

● 「DAO（ダオ）」とは、分散型自律組織のこと。DApssの
　1つ。組織の代表者が存在せず、参加者同士で意思決定され
　る。この意思決定の仕組みを「ガバナンス」言う。意思決定
　に関わるには、ガバナンストークン（投票権付トークン）を
　保有する必要がある。

　DAOのガバナンスには次の2つがある。因みにビットコイ
　ン、イーサリアムのDAOはオフチェーンである。

　オンチェーンガバナンス　▶意思決定の投票がブロック
　　　　　　　　　　　　　　　　チェーン上で行われる。非中央
　　　　　　　　　　　　　　　　集権。

　オフチェーンガバナンス　▶ブロックチェーンの外で様々な
　　　　　　　　　　　　　　　　利害関係者で議論される。中央
　　　　　　　　　　　　　　　　集権に近い。

　※ガバナンスの仕組みは簡略化して説明。

● 「SBT（ソウルバウンドトークン）」とは、譲渡できない
　NFTで、デジタルID（本人確認、学歴・職務経歴書、信用
　履歴・医療記録など）として広く利用することや、商品の引
　き換え券やイベントのチケットなどの転売防止策にも活用で
　きる。データのアクセスも個人で制御できる。

　SBTが入ったウォレットをSoul（ソウル）と言う。

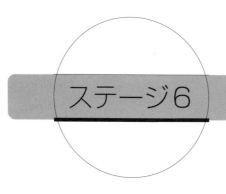

ステージ6

カメとの別れ、
そして現実世界へ

**メタバース、Web3、AI の未来に
ついて学ぶ**

●「村のメタバース」に戻る

　気がつくと、僕は浜辺にいた。

　右手に貝型のタブレット、そして左手には乙姫様からもらった金色の玉手箱を持っている。

「例の浜辺だ！」

「そうじゃ。ここは村のメタバースじゃ」

　カメは、元の亀の姿に戻っている。

「え～、せっかく、最終試験を合格したのに‼　乙姫様に会いたい！」

「龍宮城での学びは終わった。じゃが、お主にはまだ学ぶことがある」

「メタバース、Web3、XR の試験に合格したんだよ。これ以上何を学ぶことがあるの？」

「AI じゃ」

「あ～、婚活パーティーで、カメさんが『DAO の発展の鍵は AI が握っている』とか言ってたやつ？　あのとき、亀さん、鼻の下伸ばしてたね (笑)」

「お主に言われたくないわい。

　AI は、現実世界でも最近急速に活用が進んでおる。

　太郎、『シンギュラリティ』という言葉を聞いたことはある

か？」

「何それ？？　聞いたことない」

●「シンギュラリティ」を学ぶ

「シンギュラリティとは、『AIが人類の知能を超える瞬間（技術的特異点）』を表す言葉じゃ。

　アメリカの未来学者、レイ・カーツワイル氏によれば、『2029年にAIが人間並みの知能を備え、2045年に技術的特異点が来る』と提唱しており、この問題は『2045年問題』と呼ばれておる。

　ところが、『ChatGPT』※の公開以降、AIの進化が加速し、複数の専門家が、シンギュラリティは早ければ2025年にも到来すると予測してるんじゃ」

【※解説】

　ChatGPTとは、アメリカのOpenAIが2022年11月に公開したAIチャットボットで、ユーザーの入力した質問に対してAIが回答を提供する。

　2023年3月にGPT-3(3.5)からGPT-4にバージョンアップされ、アメリカの司法試験の受験者の上位10%の成績に入るほどの高度な推理機能を有する。

「ちょっと待って（汗）。シンギュラリティが来たら、僕たちはどうなるの？」

「オックスフォード大学のオズボーン教授は、2013年に、AIなどの普及によって『今後10年の間に米国の雇用の47%が自動化する』と指摘しておる。

　また、2030年に必要な『未来のスキル』として、社会的洞察力、心理学、発想の豊かさといった、人間にしかできないものをあげておる」

「ちょっと難しくて分からないんだけど、それって、つまりどういうこと？」

「**人間しかできない仕事は残り続ける**ということじゃ。これからはAIと共存する世の中になりそうじゃのう」

「なるほど。ちょっと安心した。

　AIに代替されない仕事を探すというよりも、これからは、**AIを使いこなす能力が必要**になってきそうだね」

●メタバースの未来を学ぶ

「あっ、カメさん。AIが急速に発展していることは分かったけど、メタバースの未来ってどうなりそうなの？」

「いい質問じゃ。エマージェン・リサーチの調査レポートによ

ると、世界メタバース市場の規模は、2028年には95兆円の市場になると言われておる」

「それはすごいね。どんなふうに拡大しそうなの?」

「メタバースは、現在、広告、住宅展示場や、建物の増改築工事などのVRシミュレーションなど様々な分野に広がっておる。

　最近では、大学の入学式や大学生向けの就職相談にも取り入れられ始めておるし、外出が困難の方でも参拝できる『メタバース神社』も登場しておる。これからどんどんメタバースの活用が進んでいくじゃろう」

「なるほど。メタバースは将来生活の一部になりそうだね。

　でも、何か課題はないの?」

「まず、VRゴーグルじゃ。今のゴーグルは解像度、大きさなど普及するにはまだまだじゃからのう。

　ただ、確実に進歩していて、たとえば、2024年に発売予定のアップル社の『Vision Pro』は3,499ドル（約50万円）と高額ながら、従来のVRゴーグルの4倍の解像度らしいのう。

　次に、著作権の侵害や不正利用が課題じゃ」

「なるほど、メタバースの普及には、VRゴーグルの進歩や法整備が必要だね」

●カメとの別れ

《中間目標をクリアしました！》

　すると突然、カメが真顔になった。

「どうしたの。カメさん？」

「太郎、別れのときがきたようじゃ」

「えっ!?　別れって何？」

「これで、わしの役割は終わった。

　生まれたときはあんなに小さかったのに、20歳になって立派になったのう。

　乙姫様と結婚するのは予想外じゃったが。改めておめでとう」

「カメさんって、ひょっとして、父さん？」

「そうかもしれんのう。わしはいつもお主とともにおる。母さんを大切にするんじゃぞ」

「ちょっと待って!!　もし父さんなら伝えたいことがあるんだ！」

　カメは片目でウィンクすると、一瞬で消えた。

●玉手箱を開ける！

　僕は、一人で砂浜に呆然と立ち尽くした。

　すると、「もし困ったことがあったら、『玉手箱』を開けてくださいね」という乙姫様の声が頭の中に響き渡った。

　そして、その声に導かれるように、僕は玉手箱を開けた‼

　気がつくと僕は、パソコンの前に座っていた。

　20 歳の誕生日に戻っていた！　母親がキッチンで、僕の大好きな鶏料理をつくっている。

「あれは夢だったのか??」

　と一瞬思ったが、右手を見ると、貝型のタブレットを握っていたが、たちまち消えていった。

「いや、これは夢じゃない！　たしかに僕はさっきまでメタバースにいたんだ‼　じゃあ、乙姫様は？　カメさんは??」

●「招待状」が届く

　そんなことを考え、日々悶々としながら暮らしていた。

　そして 3 日後、1 通の「招待状」が届いた。

　招待状を確認すると、父親の友人だったという男性からだった。

　［あなたのお父様からの依頼で、太郎さんをイベントにご招待します。

　明日14時に、福岡市のイベント会場までお越しください。

　株式会社Fusic（フュージック）　代表取締役社長　ノウトミ］

【補足説明】

　株式会社Fusicの社長が、太郎の父の友人というのはフィクションである。

「えっ、明日って急すぎない??　というか何で福岡市？」

　と思っていると、母が急に話しかけてきた。

「福岡市は、昔あなたのお父さんが働いていたところよ。

　福岡市は、『国家戦略特区（グローバル創業・雇用創出特区）』※に指定されていて、スタートアップ支援やWeb3にも力を入れているらしいわ。さあ、行ってらっしゃい!!」

【※解説】

　国家戦略特区とは、日本の経済活性化のために、地域限定で規制や制度を改革し、その効果を検証するために指定される特別な区域のことである。

　僕は福岡市中央区のとあるイベント会場に到着した。イベント会場に入ると、受付カウンターにいるスーツ姿の男性から声をかけられた。

「こんにちは。ようこそ、いらっしゃいました！」

「あの、僕、鈴木太郎と言いますけど、ノウトミ社長はいらっしゃいますか？」

「お待ちしておりました。少しお待ちください」

　少し待っていると奥から、背の高い、日焼けしたスーツ姿の男性が現れた。

「太郎さん、こんにちは。ノウトミです。私はあなたのお父さんの友人です。あなたが20歳になったら、AI（人工知能）について教えるように言われ、ここにご招待しました」

「えっ、急にそんなこと言われても、何を聞いたらいいか分からないんですけど。

　えっと、まず、そもそもAIって何ですか？」

「AIというのは、特定のタスクに特化した脳のようなものです」

「えっ、AIって『ドラえもん』のように何でも自分で考えられるものじゃないんですか？」

「人間は日々、多くの情報を脳内で処理し、判断や推測を行っています。このような人間の知能をコンピュータプログラムで再現したものがAIと呼ばれるものです。

　ただし、現在のところ、ドラえもんように何でも自分で考え

られる『汎用型の人工知能』が実用化された例はありません。

このため、一般的に AI というと、画像認証など特定のタスクのみ行える『特化型 AI』を指します。

うちに詳しいものがいるので、彼から説明してもらいましょう」

横から T シャツを着て眼鏡をかけた男性が現れた。
「こんにちは、太郎さん。AI エンジニアのワシザキです。AI について分からないことがあれば何でも聞いてください」
「はじめまして、鈴木太郎です。

えっと、AI が特定のタスクを行う『特化型の人工知能』というのは分かったんですけど、AI にどんな種類があって何ができるかとか、最近、生成 AI とか言って ChatGPT が流行っていますけど、全然ついていけないので、そこも含めて教えてください」

●「AIの種類と仕組み」を学ぶ

「なるほど。質問を聞く限り、AI の仕組みを理解する必要がありそうですね。

まず、生成 AI と言われますが、明確に生成 AI とその他を区別することは難しく、**AI の種類**は、特定のタスクを行うデー

タの数だけあります。

　たとえば、特定のタスクとして、画像から人を検出できるAIもあれば、声質変換といって私の声を太郎さんの声に変換できるAIもあります。

　そして、質問やプロンプト（AIに対する指示）に対して、テキスト、画像、動画、音楽といった『コンテンツ』を出力するものもあります。これが、**ChatGPTに代表される生成AI**と言われているものです」

「あの、ChatGPTで、初めてAIを耳にするようになったくらいなので、AIの仕組みをやさしく教えてもらっていいですか？」

「AIの仕組みは、人間の脳のようなものだとイメージしてください。AIは、人間の脳のように、入力に対する出力の関係性を学び※、入力に対する判断や推論などをコンピュータに行わせる技術です」

【※解説】

　多くの場合、AIは入力と出力の関係性を学ぶが、入力だけで学習するものもある。

「イメージできないので、さらにやさしくご説明をお願いします m(__)m」

「たとえば、太郎さんの目の前に車が迫ってきたらどうします

か？」

「全力でよけます‼」

「そうですよね。人は、目から入った車が迫ってくる情報に対して、『車は危ない、このままだとぶつかるのでよけなくては』と判断して、よけるという行動をとっています。

これは、車が迫っているという情報（入力）に対して、人間の脳が判断して、よけるという行動（出力）に結びつけているとも言えますよね。

AIもこれと同じで、入力と出力の関係性を学び、入力に対する判断を行っています。

たとえば、AIに、私の声を太郎さんの声に結びつける学習を行っている場合は、私の声がマイクを通じて入力されると、AIが学習した入出力の関係性から、太郎さんの声がスピーカーから出力されます。

ChatGPTでは、入力文章に対して確率的に最もありそうな単語をつなげて回答文章を作成するよう学習させているため、入力した質問に対して、『正しそうな文章』を出力します」

「やっと分かってきました！

ただ、正しそうな文章って、どういうことですか？」

「結論を言うと、質問に対する回答は事実ではなく、あくまでも推論です」

【補足説明】

　ChatGPTの仕組みは簡略化して説明。

「えっ、推論ということは、必ずチェックが必要ですね（汗）」

「そのとおりです。AIも人間同様、完璧ではなく、嘘をついたりします。

　ちなみに、AIは人間と違って、**入力情報はデータ**でなければならず、データを収集するためには、人間の目のようにカメラなどのセンサーが必要な場合もあります。

　また、画像や音声、テキストだけでなく、匂いなども『データ化』できれば、AIで扱えるようになります」

「匂いもですか!?　データ化さえできれば何でもAIを活用できそうですね！

　ここまでを整理すると、**AI**とは特定のタスクに特化した、人間の脳のように、入力と出力の関係性を学習し、入力に対する判断や推論などをコンピュータに行わせる技術。

　入力情報はデータが必要で、AIの種類は特定のタスクを行うデータの数だけある。

　そして、そのなかで『コンテンツ』を出力するものが、ChatGPTに代表される生成AIと言われているもの。ただし、質問に対する回答はあくまでも推論なので、チェックが必要。ということで合っていますか？」

「そのとおりです」

●AIによる学習を学ぶ

「ところで、先ほど太郎さんは、車が迫ってきたら全力でよける、と言われましたが、なぜですか？」

「なぜって、小さい頃母さんから車は危ないと言われてたし、そりゃもう全力でよけるしかないと思います‼」

「それって、お母さんから言われて『学習』したので、車が危ないと認識し、よけるという判断ができたんですよね？」

「確かに（汗）　あっ、AI はどうやって入力と出力のペアの関係性を学習しているんですか？」

「AI に学習させるためには、まず入力（例題）と出力（正解）のペアの関係性を教える必要があります。このペアデータを『教師データ』と言います。

　そして、教師データを作成する作業を『アノテーション』と言い、多くの場合は人力での作業が必要となります。

　この教師データを用いて、AI も人間と同じように、入力に対して判断し、その結果が正解に近かったのか、それとも間違っていたのか、というフィードバックをし、AI 自ら学習していきます。

　このとき、未知の入力データに対して、正しく判断することを目指して学習するようにしています。この学習方法を、『教

師あり学習』と言います」

「間違ったら、反省して間違えないようになるなんて、人間と同じですね。ただ、アノテーションが人力となると、かなり大変じゃないですか？」

「さすがです‼ そのとおりです。これが AI の課題です。

データを集めてくるのもそうですが、データの紐づけや、画像などの出力情報の作成も人間がやるとなると、人を大量に雇う必要があります。

また、サッカーの試合画像から最適な戦術を予測する AI を作成しようと思えば、サッカーの戦術に詳しい人でなければアノテーションできません。

最も、アノテーションの補助を AI が行うことがあったりと、ここがエンジニアの腕の見せどころではあります。課題解決のための研究開発も進んでいるようです」

「あと、たくさんデータを AI に教え込ませたほうが、AI の性能がよくなるって聞いたことがあるんですけど、実際どうなんですか？」

「いい質問ですね。大量かつ多様なデータで訓練すると、より精度の高い AI をつくれると言われています。

ただ、大量かつ多様なデータを収集した場合、多くの誤りが含まれてしまい、データの質が下がることがあります。

そこで、データセントリック AI と呼ばれる、データに焦点をあてたアプローチの研究開発も行われています」

●AIが社会生活をどう変えていくかを学ぶ

「どんどん AI が発展していく予感しかないんですけど、AI は
僕らの社会生活をどう変えていくんですか？」

「前提として、AI は影響が大きい事項に関しては人間のチェッ
クが必要であるため、あくまでも**人間の補助として発展してい
く**と思います。

　たとえば**書類のチェック**や、書類から情報を抽出する作業は、
AI が学習し自動化することができます。

　画像生成 AI に関して言えば、**著作権や倫理的に問題がない
か、注意する必要があります**が、背景の作成などの漫画のアシ
スタント業務や、アニメーションのフレーム間の補完や着色な
ど補助も AI がやってくれるようになると思います。

　そうなれば、人間にしかできない創造的な仕事に集中するこ
とができます。

　他にも、データさえ揃えば、日本語と英語の会話をより円滑
につなげる同時通訳も出てくるでしょうし、手話と声を結びつ
けることも可能になるはずです。

　そうすれば、今でも AI による同時通訳ソフトはありますが、
よりスムーズに世界中の人達とコミュニケーションをとること
ができるはずです。

　また、AR などに関して言えば、AI と画像処理技術の発展により、高品質な 3D 空間を簡単に作成するようになってきています。

　危険なので取扱注意ですが、写真から現在位置を特定する AI なども研究されています。これらの技術をうまく組み合わせることで、より広大な AR 空間を楽しめるようになるかもしれません。

　一方で、物理的な、ロボット作業のような AI 開発はまだまだ発展途上です。AI 化のための情報収集や AI の訓練に実際ロボットを稼働させる必要があるからです。

　ただ、工場の自動化のため製品をとるピッキングロボットが AI で高性能になってきていますし、シミュレーションなどで学習させるなどの研究開発が行われています」

「著作権など課題はあるけど、AI によって僕らの社会生活はどんどん便利になっていきそうですね！　ワクワクします‼」

「ところで、AI 時代の到来に向けて、僕は何を準備したらいいですか？」

「ここからは私が話そう。ワシザキさん、ありがとう」

　ノウトミ社長が前に出た。

「ChatGPT をはじめ、AI はどんどん進化し、日常生活に浸透してきています。

　ChatGPT を使って効率的に仕事するなど、AI を使いこなす

人もいます。AIを使わない人、使いこなす人、そして、AIを開発する人と様々です。

人間が仕事を奪われるという話もありますが、本当はAIではなく、**AIを使いこなす人に仕事を奪われるかもしれません。**

AIに関する情報はすでに、たくさんあります。AIに触れるのに躊躇しないでください。どんどんAIに触れて、そして興味がある分野でAIの開発をしてみるのもいいでしょう。変化に抗うのではなく、乗っかること、できれば創り出すことに挑戦してみてください。

その根底にあるのは、『好奇心』です。

私の会社では、好奇心を大切にいろんなことに挑戦することで、成長してきました。太郎君も、AIに触れ、新しいチャレンジをしてみてください」

「AIを使いこなすには、まずはAIに触れてみること、そして好奇心を持っていろんなことにチャレンジすることが大切なんですね。がんばります!!」

「君が大学を卒業したら、私の会社で一緒に働こう」

「ありがとうございます!!」

●Web3が最も活用できる分野を学ぶ

イベント会場を出ると、スタートアップカフェ（気軽に起業

相談ができる空間）のＴシャツを着た男性に声をかけられた。

「やあ、太郎さん、私は福岡市開業ワンストップセンター（スタートアップカフェ内にてオンラインで法人設立の手続きができるスペース）のファウンダー、トミタです。

　私はあなたのお父さんの友人で、あなたが20歳になったら、Web3と行政について教えるように言われ、ここに来ました」

【補足説明】
　福岡市開業ワンストップセンターのファウンダーが、太郎の父の友人というのはフィクションである。

「どうも、こんにちは。鈴木太郎です。父さんの友人って、たくさんいるんですね (笑)」

「ところで、太郎さん。Web3が本来の意味で最も力を発揮する分野って何だと思いますか？」

「ん～、金融ですか？」

「それもあるとは思いますが、Web3の特徴って何ですか？」

「えっと、Web3の特徴は、改ざんが困難で、誰でも情報にアクセスできる透明性、管理者なく動き続ける永続性、そしてスマートコントラクトによるスピーディさ、厳密性ですかね」

「透明性、セキュリティ、永続性、スピーディ、厳密性。それってどこが一番必要としていますか？」

「あっ、分かった!!　国や自治体が関わる公的な分野ですか!?」

「私もそうだと思います。実際、福岡市とあまり人口が変わらないエストニアという国は、行政手続きの99%電子化し、24時間使用できる『電子政府』をブロックチェーン技術を元にした強固なセキュリティを伴って実現しています。

　たとえば、子どもが生まれると、病院側がシステムから出生登録を行い、国民ID番号が付与され、親は何もせずとも、自動的に国の子育て支援に関する手続きがすべて済みます」

「え〜、それはすごいですね！」

「日本の行政手続きは煩雑ですからね。たとえば、市民からの行政手続きをAIで審査して、スマートコントラクトで自動実行すれば、透明性も担保しつつスピーディなものとなり、市民の利便性は格段に上がるのではないでしょうか？」

「AIを活用して、職員対応が必要な申請者とそうでない申請者に振り分けることで、行政側にとっても手間が減りそうですね!!」

「流石の発想ですね!!　太郎さんが、それやったらどうですか？」

「えっ、僕がですか??」

「だって、あなたは超天才プログラマーの息子さんですよ」

●「20歳の誕生日」に戻る

《ステージ6クリア！　ミッションコンプリート！》

　突然、頭の上から女性の声が聞こえた。

　その声は、なぜだかとても安心できる声だった。そして、とても愛しい声だった。

　気がつくと、僕は自宅のパソコンの前に座っていた。

　ゴーグルを外すと、懐かしい実家の匂いがした。

　僕の大好きな鶏を焼く匂いがただよってきた。

　今日は、2025年の僕の20歳の誕生日だった。

【ステージ6：学習のまとめ】

● 「AI」とは、特定のタスクを行う人工知能。具体的には、人間の脳のように、「入力と出力の関係性」を学び※、入力に対する判断や推論などをコンピュータに行わせる技術のこと。

　入力情報はデータが必要で、画像や音声、テキストだけでなく、匂いなども「データ化」できれば、AIで扱えるようになる。

【※解説】

　多くの場合、AI は入力と出力の関係性を学ぶが、入力だけで学習するものもある。

● AIの種類は、特定のタスクを行うデータの数だけある。たとえば、画像から人を検出できるAIもあれば、声質変換と言って自分の声を他人の声に変換できるAIもある。

　そして、そのなかで「コンテンツ」を出力するものが、**「ChatGPT」に代表される「生成AI」** と言われているもの。ただし、質問に対する回答はあくまでも推論なので、人間によるチェックが必要。

● AIに学習させるためには、まず入力（例題）と出力（正解）のペアの関係性を教える必要がある。このペアデータを **「教師データ」** と言う。

この教師データを用いて、人間と同じように、入力に対して判断し、その結果が正解に近かったのか、それとも間違っていたのか、というフィードバックをすることで、AI自ら学習していく。

このとき、未知の入力データに対して、正しく判断することを目指して学習するようにしている。この学習方法を、**「教師あり学習」** と言う。

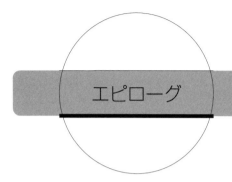

エピローグ

現実世界の「乙姫様」との再会・結婚

　現実世界に戻った僕は、体中に不思議なパワーが漲るのを感じた‼

「そうか！　メタバース、Web3、AIは世界を変えるスーパーウェポンになる‼

　父さんは、10年前にすでにこの世界の実現を確信し、部下に開発を委ねていたんだね。

　僕は、この技術を使って、日本を、そして世界をもっと住みやすく、楽しく暮らせるように努力するよ‼‼

　やっと夢を見つけることができた。父さん、ありがとう！」

　そのとき、玄関のベルが鳴った。

「はい、どちら様ですか⁉」

「太郎さん、乙姫です！」

　モニターには、なんと！　あの龍宮城の乙姫様が映ってい

た!!

「乙姫、逢いたかった!!」

「太郎さん、私もです!! 龍宮城でのお約束を果たしに参りました。

そして、私の上司である、あなたのお父様とのお約束も……」

じつは、乙姫は、父親の部下だった。そして、父親は乙姫にこのメタバースの世界の構築を指示し、未来の僕にプレゼントを送ってくれたのである。

「あなたのお父様とのお約束を果たす時代がきました! 太郎さん」

「乙姫、あなたが父さんの部下だったんだね!!」

乙姫、本名、乙黒姫子はにっこり笑って、うなずいた。

「今気づいたよ! メタバースにいる間中、ずっと僕の頭の上から聞こえていた声は、乙姫、つまり、キミの声だったんだね」

「そう、私がプログラムしたの。

私も乙姫のアバターになって、あなたをずっと見守っていたのよ」

「カメさんもキミのプログラム?」

「うん。お父さんのアバター」

「やっぱり！　別れるときに分かったよ。なんか、とってもうれしかった＼(^o^)／」

「最初はお仕事だったけれど、あなたを見ているうちに、だんだんととっても大事な人になっていったの♥」
「僕は、一目ぼれだったけどね (^^;)」
「ちょっと頼りなく、浮気っぽいところはあるけど、太郎さんはとっても素直で、好奇心いっぱいで、頭の回転の速い人。
　そして、なんと言ったって、あの超天才プログラマーの息子さんなんだもの！
　私、この人となら、未来の日本は楽しく過ごせそう！　って閃いたの‼」
「そうなの？ (^^ ♪デヘへ」
「ちょっと年上女房になるけど、よろしくね (^_-)-☆」

「太郎さん、これは私からのプレゼント‼」
　僕は乙姫から結婚指輪を受け取り、お互いの左手の薬指にはめた。
　現実世界に戻った僕と乙姫は、しっかりと抱き合いながら、これからの将来を誓い合った。

to be continued ‼

あとがき

　皆様、いかがでしたでしょうか。鈴木太郎（アバター浦島太郎）と一緒に、メタバース、Web3、AI の全体像をご理解いただけましたでしょうか？

　じつは、以前私は、暗号資産詐欺に遭ったことがあります。ただ、これはブロックチェーンの基礎を分かってさえいれば防げたことでした。

　メタバース、Web3、AI は、今後、急速に発展していくことが予想される新しい技術です。ただ、新しいものが登場するときは、知識のない方を騙そうとする詐欺が横行します。

　本書は、皆様に「以前の私のように、基礎知識がないばかりにスタートで躓くことなく、メタバース、Web3、AI を世の中のために活用してほしい」という想いがあって書きました。誰もが知っている昔話『浦島太郎』のような必読本となれば幸いです。

　なお、現在私は、食育と農家保護をテーマとする、Web3 を絡めた「地域活性化プロジェクト」を進行中です。

　ご興味のあるエンジニア、投資家の方は、弊社ＨＰのお問い合わせフォームよりご連絡ください。意欲のある方達と未来を

つくっていきましょう。

　最後に、本書を作成するために協力してくださった、株式会社 Fusic 社長の納富貞嘉さん、鷲﨑海さん、福岡市開業ワンストップセンター・ファウンダーの冨田良さん、イラストの日和絹さん、関係者の皆様、企画・編集の遠藤励起さんに心から感謝いたします。皆様がいなければ、本書はできませんでした。

　そして、ここまで読んでくださった読者の皆様に心から感謝いたします。

谷口良太

■著者プロフィール

谷口 良太 （たにぐち・りょうた）
株式会社めんたいバース企画、代表取締役社長。
福岡県生まれ。元自治体職員。福岡県ブロックチェーン
研究会所属。30 代に福岡大学で、経営、会計を学び首
席で卒業。前職ではシステム刷新の担当としても従事。
グロービス経営大学院やボストンコンサルティンググ
ループからマーケティングを学び、その後、心理学、
NLP、その他の学びを実践し、起業コンサルタントに転
身。コンサルタントとして自治体と関わるなかで、自治体
の Web3、メタバースの活用を知り、研究に没頭。その
結果メタバース、Web3 に精通する。
現在、その豊富な知見を生かして、食育と農家保護を
テーマとする、Web3 を絡めた「地域活性化プロジェクト」
を進行中。
https://mentai-thunder.com

【Special Thanks】
株式会社 Fusic
福岡市に本社を置く IT 企業。事業内容は AI・クラウド
コンピューティング。2023 年 3 月東証グロース ＆ 福証
Q ボード上場。
代表取締役社長 納富貞嘉
機械学習エンジニア 鷲﨑 海
https://fusic.co.jp

Sairyusha

「浦島太郎」のアバターになって、 メタバース・Web3・AIがスラスラわかる本
～XR、NFT、DAO、DeFi、ChatGPT、生成AIまで～

2023年9月30日　初版第一刷

著　者	谷口良太
発行者	河野和憲
発行所	株式会社 彩流社
	〒101－0051　東京都千代田区神田神保町3－10　大行ビル6階
	TEL：03－3234－5931
	FAX：03－3234－5932
	E-mail：sairyusha@sairyusha.co.jp
印　刷	明和印刷(株)
製　本	(株)村上製本所
装丁・組版	(株)クリエイティブ・コンセプト

本書は日本出版著作権協会(JPCA)が委託管理する著作物です。
複写(コピー)・複製、その他著作物の利用については、
事前にJPCA(電話03-3812-9424　e-mail: info@jpca.jp.net)の許諾を得て下さい。
なお、無断でのコピー・スキャン・デジタル化等の複製は
著作権法上での例外を除き、著作権法違反となります

©Ryota Taniguchi　Printed in Japan, 2023
ISBN978-4-7791-2924-7 C0033
https://www.sairyusha.co.jp